文化・芸術のマーケティング

Bunkamuraも実践する"満足"を生み出すチャレンジ

株式会社東急文化村 / マーケティング部長

荒木 久一郎

文化・芸術マーケティングラボ

東急エージェンシー

はじめに

　新型コロナウイルス感染症の拡大による緊急事態宣言下で、すべての文化施設が休館を余儀なくされました。毎日多くの来館者が訪れていた施設は静まり返り、舞台の照明は消え、拍手が鳴り響いていた客席には誰ひとりいません。文化施設のこのような姿を誰が想像したことでしょう。

　緊急事態宣言が明け、公演が再開された日に果たしてお客さまは来て頂けるのか、施設に携わる誰もが先行きに対する不安でいっぱいでした。

　世の中が徐々に日常を取り戻していくなか、何が"来て良かった"というお客さまの満足感を生み出すのだろう、という今まで当たり前だと思っていたことが疑問に変わっていきました。

　数々の「文化論」や「芸術論」や「アートマネジメント」に関する書物を紐解いてみてもなかなか疑問は解決しません。本来「芸術」とは、アーティストの意思を表現するものであり、必ずしも鑑賞者の要求を形にしている訳ではありません。そのため多くの場合、実際に演じるアーティストの立場や事業や公演を制作する立場からの視点、いわば「舞台」からの視点で語られています。言うまでもなく、公演やコンサートなどの舞台実演芸術は「舞台」と「客席」がともにひとつの空間を創り上げる相乗効果で成り立っています。にもかかわらず、「客席」からの視点で"笑顔"や"満足"を生み出すにはどうしたら良いのかという議論はあまりなされていないことに改めて気づきました。

　一方、マーケティングの分野では、"顧客満足"を生み出すことは

最も中心的で普遍的なテーマです。特に近年「ＵＸ（ユーザーエクスペリエンス）」とも言われる「顧客体験」や「体験価値」はどの業界においても非常に関心が高まっています。

「客席」の"満足"を高めるためには、当然ながら質の高い舞台を提供することが必須ですが、それだけでは不十分です。スポーツにおいてもルールを理解していなければ十分に楽しむことはできません。スポーツをTVや配信で観戦する場合は必ず解説がついています。「芸術鑑賞」においてはどうでしょうか。歌舞伎など伝統芸能の一部では解説がつく場合もありますが、多くの場合は鑑賞者の自己努力に委ねられています。

マーケティングの観点から「鑑賞活動」を考えると、それは「顧客体験」と捉えられます。つまり、「鑑賞活動」を単に客席に座っている時だけでなく、家を出てから帰宅するまでの時間の過ごし方と捉えるということです。このように考えると、スポーツのルール説明に当たる事前レクチャーや客席のホスピタリティ、施設までのアクセス、チケットや公演情報のコミュニケーション、鑑賞後の飲食シーンなど文化施設が提供、提案すべき活動領域は広がっていきます。さらに、全国の文化施設において舞台配信の拡大など施設内の活動にとどまらないアウトリーチの活動も活発化しています。

こうした現況を踏まえると、これからの文化施設にはますますマーケティングの視点が求められます。そこで、文化施設に関わる者だけでなく、日頃ひとりの観客として文化施設を訪れているマーケターが会社や業界の枠を超えて集まり「文化・芸術マーケティングラボ」という私的で緩やかな勉強会を結成し、「客席」からの視点で、お客さまの"満足"に繋がるものは何なのか、これからの文化施設のマーケティング活動はどうあるべきか、などを話し合ってきま

した。

　本書は、同様の思いを持つ文化施設の関係者の方々や地域における文化芸術の振興に携わる行政の方々、これから文化事業に取り組んでみたいと考えているアートマネジメントを学ぶ学生の方々に向けて、議論してきた内容をまとめたもので、構成は以下の通りです。

　第1章では、文化施設の存在意義や求められる機能を俯瞰し、マーケティングの観点から「鑑賞の場」以外にも求められる機能や地域や街の関わりについて考察しています。その上で、文化施設におけるマーケティングの役割について考えてみます。

　第2章では、主として「公演」を対象に鑑賞者の「満足」を生み出すためのマーケティングの基盤について考えてみます。特に、文化・芸術の分野において市場をどう考えれば良いのかという基本戦略と文化施設がマーケティング活動を行う上での人材育成について実践的な事例も含め紹介します。

　第3章では、「満足」を生み出すためには、実際にどのようなマーケティング活動を行えば良いのかというテーマで、提供すべき価値とは何か、販売部門の活動、広報部門の活動について課題や展開の上の留意点をまとめています。

　第4章では、「ファスト化する鑑賞スタイルへの対応」「文化事業と学校教育の融合」「文化施設と地域との関わり」という3つのテーマでこれからのマーケティング活動についての指針を考えてみました。

　なお、議論の対象は、あらゆる文化施設を想定した文化・芸術全般のマーケティングに関して広告会社や調査会社、媒体社など異業種のマーケターの視点や考えも取り入れてまとめています。そのた

め、本書内で語られている内容は、株式会社東急文化村の公式見解を代表するものではなく、あくまでも著者個人の考えによるものであることをご理解いただければ幸いです。

＊文中では敬称を省略させていただくことをお許しください。

目次

はじめに ……………………………………………………………………………………… 2

第1章　文化施設について ……………………………… 9

第1節　文化施設の公共性 ………………………………………………………… 10
　　1．文化施設の存在意義 ……………………………………………………… 10
　　2．文化施設が提供する価値 ……………………………………………… 16

第2節　「文化」「芸術」そして「経済」 ………………………………………… 21
　　1．「文化」と「芸術」の関係 ……………………………………………… 21
　　2．「文化としての芸術」と産業化 ……………………………………… 24

第3節　事業としての文化施設 ………………………………………………… 28
　　1．ビジネス社会に対する文化施設の価値 ……………………………… 28
　　2．事業運営に求められる機能 ………………………………………… 30

第2章　文化施設のマーケティング戦略 ……… 37

第1節　文化事業の歴史 ………………………………………………………… 38
　　1．クラシック演奏会の変遷 ……………………………………………… 38
　　2．わが国における劇場と催事の歴史 ………………………………… 42

第2節　文化施設がめざすもの ………………………………………………… 44
　　1．ミッションの重要性 …………………………………………………… 44
　　2．ミッション達成のための2つの課題 ………………………………… 46

第3節　鑑賞者の"満足"を生み出すためのマーケティング戦略 …………… 51
　　1．市場の考え方 …………………………………………………………… 51
　　2．市場攻略の仕掛けづくり ……………………………………………… 55

第4節　マーケティング活動を支える人材育成 ……………………………… 60
　　1．人材教育の重要性と課題 ……………………………………………… 60
　　2．人材教育の実践 ………………………………………………………… 63
　　3．プランニング力向上のために ……………………………………… 66

第3章　"満足"を生み出す　マーケティング活動 ……………… 71

第1節　提供価値と顧客理解 ……………………………………… 72
　　1．提供価値 ……………………………………………………… 72
　　2．顧客理解 ……………………………………………………… 77

第2節　販売部門の活動 …………………………………………… 92
　　コラム1　冬の風物詩となった暮れの
　　　　　　「ベートーヴェン第九コンサート」 ………………… 93
　　1．個人向けの販売活動 ………………………………………… 95
　　コラム2　データ分析で顧客の行動パターン分けおよび潜在見込顧客
　　　　　　を発見するソリューション「Target Finder®」 ………… 102
　　2．グループセールス …………………………………………… 107
　　コラム3　チケット価格の割引について ……………………… 112

第3節　広報部門 …………………………………………………… 115
　　1．広告と広報 …………………………………………………… 115
　　2．さらなる文化情報の発信 …………………………………… 124

第4章　その先の"満足"へ。　～これからの文化施設のマーケティング～ … 127

第1節　ファスト化する鑑賞スタイルへの対応 ………………… 133
第2節　文化施設と学校教育との融合 …………………………… 142
第3節　文化施設と地域社会との関わり ………………………… 148

＜巻末資料＞Bunkamuraの概要 ……………… 153
　　Bunkamuraの施設紹介（2024年2月現在） …………………… 155

おわりに ……………………………………………………………… 160

第 1 章

文化施設について

文化施設の公共性

１．文化施設の存在意義

　文部科学省の社会教育統計によると、劇場・音楽堂など、いわゆる文化施設は全国に1832施設（2022年10月時点）存在しています。

　「文化」の主体は、どの国においても個人であることに変わりはありませんが、文化施設の整備に対する考え方は国によってかなり異なります。例えば、フランスは国主導、アメリカは財団主導、それに対してドイツとわが国では概ね自治体主導で施設運営が行われていると言われています。つまり、わが国の文化・芸術を支える文化施設のほとんどは公立の文化施設です。そして、公立の文化施設の設置目的は、多くの場合、地域文化の振興や施設機能の有効活用、施設を賑わいの場とすることなどが掲げられています。一方、民間の事業として運営されている文化施設の場合は、基本的には営利企業として運営されています。

　しかし、民間企業が運営する場合でも、文化施設である以上、単純に利益をあげることが目的であると割り切れるものではありません。民間企業と「文化」の関係は複雑であり、個別の事情に応じたさまざまな配慮が必要です。

　企業と「文化」の関わりについて、電通総研は４つのパターンに分類しています。（注１）

①「文化で売る」
　コンサートや美術展、またはシンポジウムやセミナーなどを協

賛もしくは主催し、顧客招待の実施や、タイトルに企業名やブランド名を「冠」として付加することによりイメージアップを図るなど日本独特に発展してきた文化のマーケティング手法。

② 「文化を売る」

産業としての文化という意味で、さまざまな興行ビジネスや文化施設の開設・経営、国際的な視点からの映画やミュージカルへの投資、音楽や映画などの映像出版事業、さらには文化に関する教育ビジネスなどが該当。

③ 「文化に貢献する」

直接の見返りを求めない文化支援のことで、いわゆる狭義の意味でのメセナと呼ばれる活動。

④ 「文化（的）になる」

企業自身の文化化、企業文化などの意味。

　この分類に従えば、民間企業が運営する文化施設は「文化を売る」というパターンに入ることになります。しかし、文化施設とは、「文化を売る」つまり「文化」によって利益を追求する事業なのでしょうか。そして、民間の場合は、公立の文化施設とは運営目的が異なるのでしょうか。確かに民間企業である以上、文化施設といえども、利益をあげることは重要です。しかし、それはあくまでも事業継続のための手段であり、目的ではないはずです。

　一般的に、文化施設の設置目的は、「文化・芸術に触れる機会の創出」と言えるでしょう。しかし、これは施設が提供するソフトの視点です。ソフトの視点だけで考えると、どうしても"なぜ芸術に触れなければいけないのか""芸術にどのような意味があるのか"と

（注1）電通総研編『企業の社会貢献』日本経済新聞社（1991）p.61-62

「芸術」の不要不急の議論になりがちです。

　文化施設の意義を考える際は、なぜその場所に文化施設を設置する必要があるのかというハード面の視点も併せ持つ必要があります。ソフトとハード両面から考えることで視野が広がり、文化施設を街づくりや、地域の活性化というテーマと関係づけて考えることができるようになります。

　ソフトとハードの両面から考えると、文化施設の設置目的は、「文化・芸術に触れる機会を提供することで、地域の文化を創造・振興する」ことと考えられます。つまり、文化施設にとって「文化・芸術に触れる機会を提供すること」は手段であり、本来の目的は「地域の文化を創造・振興する」ことだと考えられるわけです。

　文化施設は、その地域において世代を超えた多くの人々が優れた「芸術」を鑑賞する機会を提供しますし、地域や街の誇りとなるようなアーティストを生み出すこともあります。また多くの来街者を誘引することでさまざまな地元ビジネスの活性化にも貢献します。このように文化施設は「私的な楽しみのための個人的欲求」に応えるだけでなく「社会全体に共通する集合的な欲求」をも充足させるという点が、その存在価値を考える上で重要な点です。

　こうした文化施設の価値のうち、特に「社会全体に共通する利益」という価値側面は、アメリカの経済学者ウィリアム・Ｊ・ボウモルとウィリアム・Ｇ・ボウエンが著書『舞台芸術—芸術と経済のジレンマ』のなかで指摘したのをはじめ、経済の外部性になぞらえた「芸術の社会的便益（外部性）」という概念のもと経済学や社会学の観点から多くの議論がなされています。

　文化施設の「社会全体に共通する利益」とは、地域が文化的になるということです。地域が文化的になるとは、その地域に住む人、

地域に来る人が、人間らしく、心にゆとりのある生活スタイルへと変わることです。そして、地域が楽しく、美しく、個性のある風景へと変わることです。文化施設をつくる最終的な目的は、地域づくりや地域のブランディングのための「文化の発信拠点」「文化活動の拠点」といった戦略拠点を築くことだと思います。これは公立でも、民間でも同様です。

　事業としてみると、民間企業にとっても文化施設は企業単体で利益を上げることはなかなか難しい事業ですが、その一方で、社会や地域、街といった単位でみればさまざまな形で利益をもたらします。社会共通の基盤となるような産業をインフラストラクチャー（インフラ）と言いますが、文化施設もその地域の文化を形成するインフラストラクチャーと考えることができます。この視点があればこそ、「街づくり」をめざす民間企業において文化施設の存在意義が認められているのです。

　例えば、コンサートについて考えてみましょう。コンサートは次のような多くの欲求を満たしてくれます。

　①来場した鑑賞者の直接的な鑑賞欲求の充足
　②TV放映、配信などの視聴による間接的な鑑賞欲求の充足

　こうした個人の欲求充足だけでなく、次のような社会的な欲求も満たしてくれます。

　③街のイメージアップ（コンサートの良い評判により「音楽の
　　街」のような良いイメージが生まれる）
　④物販・飲食店へのメリット（多くの人々が訪れ、消費が生まれ
　　ることによる地域の経済活性化への貢献）
　⑤将来世代への価値の継承（演奏の記録や伝聞により評判が次世
　　代に語り継がれる）

⑥コミュニティへの教育価値（鑑賞教室など教育活動を通じた興味喚起）

　民間の文化施設においても、来館者の個人的な欲求の充足に基づく事業収益だけでなく、「街づくり」という視点からみた「芸術」による社会的欲求の充足にも十分に配慮しています。社会的欲求の充足を重視しているからこそ、施設がもつ文化的価値を通じて地域や街に対する経済的価値の創出に結び付けていこうと考えているのです。こうした考え方は、公立の文化施設の設置目的となんら変わるものではありません。

　ここで言う文化施設の文化的価値とは具体的には次のようなものが考えられます。

　　・芸術や文化や社会に関する公共の議論に対するきっかけづくり
　　・多くのアーティストの創作意欲の刺激
　　・将来世代への文化的な遺産価値の継承
　　・広範な文化的コミュニティの創造
　　・さまざまな異文化とのつながり
　　・地域の風景価値の向上
　　・地域への来街者の誘因

　文化施設の活動を通じて、アーティスト、鑑賞者、地域で働く人々、地域住民、商店街、教育機関などがゆるやかにつながる。そして、開かれた社会的ネットワークを形成する。こうした活動が結果的に地域の文化的ポテンシャルを上げることになります。文化的価値の観点で考えれば、文化施設は、それが公立であれ、民間であれ、地域に必要な「公共的な施設」と考えられます。ここで言う公共的というのは、決して「公立」という意味ではありません。

　「公共的な施設」とは、多くの人が個人的になくてはならない施

設だと思うと同時に、社会全体にとってもなくてはならない必要な施設だと認識されることです。あくまでも社会にとって必要な施設という意味ですので、民間施設であっても社会に必要とされていれば、「公共的な施設」ということができます。例えば、鉄道や通信などは民間企業であっても「公共的な事業」です。文化施設もこれと同様に考えることができます。

　こう考えると、あらゆる文化施設は公共性を基盤とする事業という点で、めざす目的は共通です。そして、公共性を基盤に考えると、文化施設の役割は単なる芸術鑑賞の場というだけでは十分ではありません。文化施設には、次のような場づくりが求められます。

　①芸術を創造する場

　②芸術を鑑賞する場

　③芸術を発信する場

　④芸術を育成する場

　もちろんどのような場づくりに力を入れるべきかは、地域の状況によって変わります。

　福岡を中心にアート・マネジメントを実践する古賀弥生は、文化・芸術と地域の関わり方には、大きく2つの方向のベクトルがあることを指摘し、「文化・芸術の振興」と「文化・芸術を通じた地域振興」のバランスをとることが重要であると述べています。（注2）

①文化・芸術の側から地域へ向けて発信されるベクトル

　文化・芸術を振興し、その魅力を地域や人々に伝えようとする

（注2）古賀弥生著『芸術文化と地域づくり〜アートで人とまちをしあわせに〜』九州大学出版会（2020）p.5-6

考え方で、さまざまなジャンルの文化・芸術について、その楽しみ方を伝授することによりファン層を拡大する活動や、文化施設に行くことが困難な何らかのバリアを有する人々に対して文化・芸術を届ける活動などが含まれます。

②地域の側から文化・芸術の持つ力を活用し、文化・芸術による地域活性化を図ろうとするベクトル

この考え方では、文化・芸術を個人の趣味や娯楽の領域に留めず、地域課題や市民による地域づくり活動と結びつけます。近年はこの考え方から、文化・芸術を総合的な地域政策の中心概念と位置づける事例が日本の各都市で増えつつあります。

　文化・芸術のマーケティングを考える時、公立も民間もめざす目的に大きな違いはありません。文化施設の役割の1つは、人々に「夢」と「感動」を提供することですが、同時に地域をどのようにして振興していくのかという課題も考えなければいけないということです。「文化」と「事業」の関係を考える場合、「文化の提供」と「地域の振興」のバランスに立脚した上で、どのような場づくりに取り組むのかを決め、それを持続していくことが可能な組織運営をめざすことが求められます。

2. 文化施設が提供する価値

　前述のように、あらゆる文化施設は公共施設です。では、公共施設として文化施設は何を提供しているのでしょうか。文化施設の誕生は、ただ建物ができるということではなく、そこに演劇や音楽が生まれ、人々が集まり、共に楽しむ時間が誕生するということであ

り、地域と人々との関わりを考える開かれた場づくりを意味します。

　文化施設は、規模の大小が問題なのではなく、建てる目的や運営に対する明確なビジョン、哲学があることが大切です。理念を伴わない文化施設は、どんなに立派な建造物でも、ただの建物、器にすぎません。そのため常にハードとソフトを一体で考えなくてはいけないのです。どのような鑑賞者に来てもらうのか、そしてその施設でどう過ごしてもらうのか、要するにどのような価値を提供するのか。施設を利用する側の視点で提供すべき価値をしっかり見据えた上で、施設の建設や運営を考える必要があります。

　つまり、文化施設は、多くの人が集う空間になることで初めてその価値が生まれるのです。だからこそ、立派な建物や設備よりも、そこで日々行われる営みこそが、アーティストと鑑賞者の素晴らしい出会いを生み、その施設の良し悪しを決めるのです。

　そして、文化施設が多くの人が集う空間になるためには、次のような要素が求められます。

・質の高い娯楽性をもつ（楽しみや希望を提供する施設であること）
・排他的でない（あらゆる人々に開かれた施設であること）
・集客力がある（多くの人が集う施設であること）
・波及効果がある（周辺地域や街に良い影響を及ぼす施設であること）

　文化施設がこうした要素を満たし、地域の「文化」を醸成・発信する拠点となるためには３つの機能を合わせ持つことが必要です。３つの機能とは「創り」「観て」その感動を「語る」という機能です。文筆家であり、文化・芸術プロデューサーでもある浦久俊彦は「文化としての芸術」について音楽を例に次のように語っています。

（注３）

　音楽も美術もそうですけど、もともと「創る（作曲・演奏）」「鑑賞する（聴く）」「語る」というトライアングルで文化としての音楽が成立するはずなのに、日本のクラシック音楽界は、あまりにも「創る」と「鑑賞する（聴く）」に偏りすぎて、「語る」の部分が蔑ろにされてきた。でも、そもそもベートーヴェンやバッハの音楽がどんな時代に生きていたのかを知らずに、どうやって彼らの音楽を理解できるといえるのか？

　そして「語る」ことについては、さらに次のように述べています。（注４）

　「語る」というのは、みんなで音楽について語り合うことも含まれるけど、鑑賞としての音楽に背景を与えることでもある。作品解説といえば、これまでは楽曲のアナリーゼとか、作品分析とか、演奏家目線というか、作品よりのものが多かったけど、これからはもっと文化的アプローチというか、その作曲家がどのような時代を生きて、どんなことを考え、何に悩み、どんな想いで音楽に向き合ったのかを知ることも大切だと思う。

　かつては多くのビジネスの場においても、仕事の話ばかりではなく、一見無駄にも見える交流の時間がありました。しかし、年々環境も厳しくなり、効率や、合理性を追い求めるようになった結果、以前のような豊かで繊細なコミュニケーションの場が失われてしまったような気がします。地域社会においても一見無駄なように見え

る場所や時間を失った街は、価値観も画一化し、重層性を失ってしまいます。その結果、どの街も同じような顔つきになってしまいます。

　生き生きした地域や街づくりのためにも、豊かなコミュニケーションを育む「新しい広場」が必要なのではないでしょうか。劇場、美術館、コンサートホールといった文化施設は、まさにそのような現代の広場として「語らいの場」の機能を認識すべきだと思います。この点について「アート・マネジメント」という概念をわが国に紹介した岩渕潤子は福原義春著『文化は熱狂』の中で次のように述べています。（注5）

　　もともと日本の文化というのは、ただ仕事をするだけではなくて、仕事と同じくらいのバランスをもって遊んだり、芸術家と交わるということがなされていました。おもしろい経営者がたくさんいて、そういう人たちは仕事もしたけれども、非常に幅広い芸術家と交流があって、それが江戸時代とか、それ以前の社会を活性化していた。そのことを再認識しなければいけない。

　文化施設が地域や街の「文化」を醸成し、発信する拠点となるためには、「創り」「鑑賞し」「語る」ことができる「新しい広場」となることを実践していかなければいけません。単なる「鑑賞の場」というだけではなく、良質な「芸術」の提供を通じて、さまざまな

（注3）浦久俊彦／山田和樹著『「超」音楽対談　オーケストラに未来はあるか』アルテスパブリッシング（2021）p.355
（注4）浦久俊彦／山田和樹著『「超」音楽対談　オーケストラに未来はあるか』アルテスパブリッシング（2021）p.435
（注5）福原義春著『文化は熱狂』潮出版社（1995）p.73

「文化」を醸成し、それを発信していく。そして、こうした活動により豊かな未来を創ることが文化施設の提供すべき価値だと思います。

第 2 節　「文化」「芸術」そして「経済」

1．「文化」と「芸術」の関係

　あらゆる文化施設が「公共的な施設」として地域の文化を創造し振興することをめざすべきであるという考えは、文化庁においても提唱されています。文化庁はホームページにおいて「文化芸術振興の意義」を次のようにまとめています。

（https://www.bunka.go.jp/seisaku/bunka_gyosei/hoshin/kihon_hoshin_3ji/01-1.htmlより引用）

> 文化芸術は、人々が真にゆとりと潤いを実感できる心豊かな生活を実現していく上で不可欠なものであると同時に、個人としての、また様々なコミュニティの構成員としての誇りやアイデンティティを形成する、何物にも代え難い心のよりどころとなるものであって、国民全体の社会的財産である。
>
> また、文化芸術は、創造的な経済活動の源泉であるとともに、人々を惹き付ける魅力や社会への影響力をもつ「ソフトパワー」であり、持続的な経済発展や国際協力の円滑化の基盤ともなることから、我が国の国力を高めるものとして位置付けておかなければならない。
>
> 我が国は、このような認識の下、心豊かな国民生活を実現するとともに、活力ある社会を構築して国力の増進を図るため、文化芸術の振興を国の政策の根幹に据え、今こそ新たな「文化芸術立国」を目指すべきである。

このビジョンの拠り所となっているのは、言うまでもなく日本国憲法第25条第１項の「すべての国民は、健康で文化的な最低限度の生活を営む権利を有する」という条文でしょう。憲法を全文読んでも「文化」という言葉がでてくるのはこの条文のみなのですが、この一文があることにより文化的な生活が国民の権利でもあることが保証されている訳です。

　では、そもそも「文化」とはどのような意味を持つのでしょうか。昭和音楽大学名誉教授の渡辺通弘は「文化とは、人間の意識的行動およびその産物である」と定義した上で、「文化」の特性について、次の３点を指摘しています。(注６)

①伝統（tradition）として世代を超えて意識的に維持、伝達された、特定の民族あるいは集団に共通した創造（creation）、記憶（memory）、様式（form）、規範（standard）、価値観（value）、制度（system）、技術（skill）
②その集団の構成員に共通した習性（habit）と特性（identity）
③その集団の大多数によって順守され、それを批判し、あるいは変更しようとすることに対して、社会的な抑制や制裁が科される（遵奉（conform）される）事象（phenomenon）

　この指摘で重要なのは「文化」がある集団に共通した行動パターンであるという点と、保守的、排他的になりがちであるという点です。「文化」はある集団の共通価値観だからこそ時間とともに伝統を築きますが、同時に保守的であり、時には大きな変革に対しては攻撃的な態度をとる側面もあるということです。

「文化」があるから人間は他の動物と異なる存在となれるのであり、人間は何らかの「文化」に所属しなくては生きられないものです。所属する「文化」を自分で選ぶことはできますが、すべての「文化」から自分を切り離すことはできません。それだけに、「文化」は集団としての帰属意識や一体感を高めますが、所属する「文化」の価値観が次第に自らの価値観となり、他の「文化」に対して排他的になることは往々にして起こり得ることです。文化施設においても鑑賞経験の豊富なコアファンが、初めて訪れた初心者に冷ややかな態度を取ることなどもこうした一例とも言えるでしょう。「文化」とは、こうした一面も併せ持つという認識は大切なことです。

このような「文化」の概念、特性を踏まえて、さらに「文化」と「芸術」の関係を考えてみましょう。

音楽鑑賞、美術鑑賞、読書などすべての文化的な行動は自分を耕す行動です。「耕す」ことは英語では「cultivate」と言いますが、これは「カルチャー（culture）」と同じ語源を持つ言葉です。日本語の「文化」は「カルチャー」と訳されます。つまり「文化」は自分を耕す行為という意味も含みます。そして「文化」はいまを生きることを後押ししてくれるプラスの方向のエネルギーをもっています。

一方、「芸術」とは自由な発想による創造的な表現活動によって創り出されるものです。しかし、その表現が芸術的かどうかの判断は鑑賞者が下すことになります。鑑賞者は自分自身の独自のフィルターで自由に判断を下せばいいのですが、ここで自分が所属する集

（注6）渡辺通弘著『芸術創造産業が生むネオ・ルネッサンス　アートマネジメントの役割』PHPエディターズ・グループ（2022）p.31-32

団の共通価値観である「文化」が関係してきます。言い換えれば、「芸術」の価値を判断する基準や規範として「文化」が個人の自由な判断を束縛するという場合も起こり得るということです。これは同調圧力と考えても良いでしょう。例えば、鑑賞者の自分自身を耕そうとする興味・関心が特定ジャンルのみに過度に専門的になりすぎると、その集団においては専門家主導の価値観が共通の「文化」となり、次第にそれは排他的になり、各々の自由な鑑賞を阻害するようになってしまうこともあり得るということです。だからこそ健全な「文化」を創ることが重要なのです。

　「文化」と「芸術」のこうした関係を踏まえると、文化施設は次のことを充分に意識して運営する必要があります。

- ・さまざまなジャンルのアーティストが互いに刺激を与え、切磋琢磨を通じて表現力を高める。
- ・他者の基準や規範に迎合しない自分の視点を持つ鑑賞者を育てる。
- ・高い表現力を持つアーティストと自分の視点を持つ鑑賞者が集うことで、独自の健全な価値基準を生み出す。

　文化施設が提供するさまざまな「芸術」が、自分の視点を持つ「鑑賞者」を育て、自立した「鑑賞者」が健全な価値観や行動、つまり健全な「文化」を創り出す。そしてその「文化」が継承されることで伝統となっていくことが理想なのです。

２．「文化としての芸術」と産業化

　マズローの欲求五段階説にもあるように、一般的に経済が発展するにつれ、欲求そのものが高次化し洗練され、生活者は文化的素養

を身につけ成熟していくものと考えられています。しかしわが国における文化産業の現状はどうでしょう。新型コロナウィルス感染症が拡大していた時期の不要不急の議論も記憶に新しいと思いますが、まだまだ芸術作品を贅沢と考え、食品・衣料を必需品とみなす考えも多いようです。

　「芸術」と「経済」の関係を考える時、現代美術など一部の「芸術」は市場経済のなかでしっかりと商品価値としての需要もあり、投資の対象にもなっています。しかし、商品化されて経済構造のなかで語られる時の「芸術」は、あくまでも市場経済の側面で議論されているものであり、「芸術」のもつ公共性、つまり文化的な側面で議論されている訳ではありません。

　本来、「芸術」のもつ「生きがい」や「心の豊かさ」など精神的領域に基づく文化的な価値の側面は、「経済」との直接的な結びつきが希薄ですから産業とはなじみにくいものです。しかし、未来が不透明で、生きるということはどういうことなのかが改めて問われる現代だからこそ、豊かな人生を送るためには、公共性の高い「文化としての芸術」の産業化を真剣に考える必要があると思います。そのためにも「芸術」のもつ次のような社会的便益を再認識すべきです。

　・価値観の共有からくる地域アイデンティティの形成
　・多様な価値観や他人への配慮など社会的公平性の向上
　・未来に向けた夢や目標の提示

　その上で改めて「文化」と「経済」の関係を見つめ直し、文化施設もひとつの産業であるという視点を持たなくてはいけません。文化施設を産業と考えると、時に「文化」と「経済」が対立する場面がでてきます。両者をどのように調和すれば良いのでしょうか。

文化施設を「経済」の視点だけでみると、どうしても直接的な入場収入や、地域の消費経済の活性化にどれだけ結び付いているかということに論点が集中してしまいます。しかしながら、文化施設は、アーティストや鑑賞者を含め異なる価値観をもった多くの人々が集まり、異なる価値観をすり合わせながら全体としての「文化」を創造していく持続的な営みです。モノづくりの場合は過去から蓄積してきた技術をもとに人々の欲求充足を考えますが、「芸術」は未来に向けてのさまざまな夢や目標を目の前に提示してくれます。明日のことは誰にもわかりませんが、誰にでも明日はやってきます。かつてウイリアム・モリスは文化的生活の実現をめざし「生活の芸術化」を提唱しましたが、「芸術」は未来に向けて人々の気持ちを楽しくさせたり、豊かにしたり、心をたかぶらせる効用を持っています。

　「文化」と「経済」の調和のためには、経済効果だけでなく、未来に向けた生活価値観や生活スタイルを提案する社会や地域の公共利益という「芸術の社会的便益性」に目を向けることが重要です。そして、マーケティング活動においても「芸術の社会的便益性」をいかにして最大化するかという視点が求められます。

　文化施設で提供される「芸術」は音楽、演劇、バレエ、舞踊、美術、映画などさまざまです。心が弾むライブ（生）の音楽や演劇、美しい絵画や趣き深い映画は、各々表現手法は異なりますが、訪れる人にとってそのどれもが心の栄養になります。だからこそ、文化施設は人の集まる場所となり、感動を生む場所となります。そして、そこで得られる興奮や刺激、感動が、潤いのある快適な日常生活につながります。つまり、文化活動の活性化により人々の生活を充実させたいという欲求や、生活の美意識のレベルアップが生まれ

ます。こうした意識とさまざまな経済活動が結びつくことで新しい
生活様式が普及・定着します。「文化」と「経済」のバランスの良
い関係があってこそ、地域の経済も活性化していくのではないでし
ょうか。

　その意味で「文化」と「経済」を調和させるためには、文化施設
が地域を拠点に「芸術の提供を通じた地域の文化創造」をめざす産
業であることを自覚し、マーケティングの観点から「"芸術の社会
的便益性"を最大化するための仕掛けづくり」を常に意識すること
が重要です。

事業としての文化施設

1．ビジネス社会に対する文化施設の価値

　文化施設がめざすのは「芸術の提供を通じて地域の文化を創造すること」です。良質の「芸術」を提供することで、広く社会に対して「文化」という価値を発信することが事業目的です。言い換えれば、文化施設は「文化」という無形の商品の「価値」を提供していると言っても良いでしょう。

　文化施設が「価値」を提供する対象は、来館する鑑賞者だけではありません。例えば、公演への協賛など事業への支援を受けることを考えると、さまざまな企業に対する「価値」の提供も考えなくてはいけません。

　「文化」を提供する施設として、ビジネス社会に「価値」を提供するためには、その施設のもつ価値を明確にし、積極的に発信することが必要となります。その際、重視すべきポイントは、次の2つに集約されます。

①固有の価値をもつ

　文化施設は、「文化」のもととなる「芸術」を創造する側と鑑賞する側との橋渡し役として、ライブ（生）の感動が何よりも大切です。そして、この感動の質こそが、その施設固有の価値になります。

　どの業界においても市場における競合を考えると、提供する価値は「固有」のものでなければいけませんが、文化施設は常に、その

立地にふさわしい固有の価値創造と発信を考えなくてはなりません。そして、その価値が相手先の企業にとってどのようなメリットをもたらすのかを伝える努力をしなくてはいけないのです。

②新ビジネスのインキュベーターをめざす

　文化施設は地域や街のためにさまざまな人々がさまざまな「芸術」に触れられる開かれた施設であることを大切にすべきです。そのために多くの選択肢を提供し、多様なニーズに応えることを目標としなければいけません。

　来館した多くの人々が日々多彩に展開される「芸術」を通じて感動を味わい、日常の生活では得ることのなかったひと時を過ごすと同時に、その感動について語り合い、共有することによってその感動を増幅させる。

　文化施設での体験は、新しい生活世界や価値観の発見でもあります。つまり、上質な「芸術」、くつろげる空間に人が集まり、そこで楽しみ、刺激を受け、心が弾むことが、新たな生活欲求を生み出します。こうした新たな生活欲求を生み出す文化施設の場としての特性は、多くの業界においてもオリジナリティ溢れる新たなビジネスアイデアにつながるヒントや可能性を秘めています。

　グローバル化し、デジタル化が進む現代のビジネスにおいては市場分析から導き出される論理的、理性的な思考だけでは多くの競合企業と同様の思考となり、なかなかオリジナリティは生まれません。必然的に厳しい競合環境のなかで戦うことになってしまいます。今やどの業界、どの企業においてもオリジナリティは重要なテーマとなっています。

　あらゆるビジネスが流動化し、将来予測が困難になった今、オリ

ジナリティを生む武器となるのは「美意識」だと言われています。だからこそビジネスの場面においても、「文化」や「芸術」に対する関心が高まっているのではないでしょうか。文化施設には、アクティブ・シニア、新富裕層、Z世代などさまざまな人々が集まり、次の世の中への生活欲求を垣間見ることができます。その意味で、文化施設は実は次世代に向けたビジネス・インキュベーター（孵化器）でもあるのです。

２．事業運営に求められる機能

　文化施設には、「鑑賞の場」を提供するだけでなく、「文化」として発信していくこと、さらにそれを事業として継続させていくことが求められます。そのためには、「上質な企画」と「良好な環境の創造」、「品質の高いサービスの維持」という３つの領域が連携して来館した鑑賞者の満足と感動を生み出すことが必要です。

　この「上質な企画の制作活動」と「良好な環境をつくる施設運営」と「品質の高い顧客サービスにつながるマーケティング活動」という３つのパートは、施設の事情により一部が外部の別会社により行われることもあると思います。

図1-1 文化事業における事業構造図

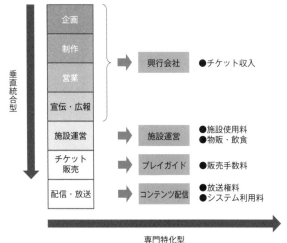

特にわが国では、「文化事業における事業構造図」（図1-1）に見られるように、企画・制作のみ、施設運営のみ、チケット販売のみなど特定分野に特化した専門特化型の事業会社が多く、特に公立の文化施設ではこうした各分野における専門会社に業務を委託、あるいはその協力のもと事業が運営されることも多いと思います。

企画・制作から施設運営、チケット販売を自社中心に一貫して行う垂直統合型の事業モデルで運営される事例は、民間の文化施設においてもごく僅かしか存在しません。例えば、宝塚歌劇団や劇団四季などはこれにあたります。ちなみにBunkamura（施設概要については巻末資料を参照）もこの事業モデルです。公演の企画・制作を行い、自社施設で興行を開催し、そのチケットも自社中心に販売するという垂直統合型という意味では宝塚歌劇団、劇団四季と同様ですが、Bunkamuraの場合、舞台公演だけでなく、展覧会や映画

まで扱うジャンルが多岐に及んでいる複合文化施設であるという点で他の団体とは異なるユニークな存在です。

「上質な企画の制作活動」と「良好な環境をつくる施設運営」と「品質の高い顧客サービスにつながるマーケティング活動」という３つのパートの役割と他パートとの関係を説明しましょう。

（1）自社によるオリジナル公演の制作

文化施設が質の高い「芸術」を提供するためには、公演・企画（ソフト）優先の考えに基づいて運営されるべきです。そのためには、積極的に自施設が公演・企画を制作する「自主制作」が理想的です。それが常に新しい文化・芸術を提供することにつながるからです。制作スタッフは、オリジナル企画の制作・発信を行うだけでなく、国内外の秀作や精鋭アーティストのチェックなど芸術性を維持するために日々たゆまぬ探究を続けることが求められます。

（2）文化施設の運営

文化施設は、人、芸術、物の交流を促進する双方向文化の創造をめざす施設ですが、来館者にとっては「非日常の空間」ですので、一定の敷居の高さはあるべきだと思います。しかし、それは高過ぎるものであってはいけません。来館者から見てわかりやすく、程よい高さの敷居でなければいけないと思います。なぜなら、多くの来館者があってこそ、施設は活性化するからです。

また、施設運営は「舞台」の上だけの問題ではありません。文化施設の運営は客席を含んだ劇場空間全体を対象領域として捉えることが重要です。そのため鑑賞者も表現の一部であることを意識して、いかにしてアーティストと鑑賞者がひとつになれるかを考える

ことが必要です。そのため、自主公演だけでなく外部の団体が施設を使用して公演を行う、いわゆる「貸館」といわれる公演に関してもこうした考えに共鳴する外部団体や作品を選定して編成を考え、統一感のある空間づくりを行うことが求められます。

（3）マーケティング活動

　アーティストが存在するだけでは、「芸術体験」は生まれません。アーティストが存在することが、そのまま「芸術」のニーズとはならないからです。「芸術」に対するニーズは、「芸術」を素晴らしいと思い、鑑賞したいと思う人々の側にあります。ここに「芸術」にもマーケティングの必要性が生まれてくるのです。

　アート・マネジメントに関する教育者であり、コンサルタントでもあるジョアン・シェフ・バーンスタインがその著書『芸術の売り方』のなかでこうした「芸術」におけるマーケティングの重要性について次のように述べています。(注7)

　　クラシック音楽、ダンス、芝居、オペラといった芸術の市場は縮まる一方だと唱える人々はよく考えた方がいい。彼らは競争激化や若者の芸術離れを口にするが、これまでにどんなマーケティングを行ってきたのか。やり方を見直し、新たな道を見出せるかどうかは、マーケティングにかかっている。

　ここでいうマーケティングとは、単なるチケットを販売するための合理的な手法、それを駆使した短期利益の追求という意味ではありません。文化施設で提供される「芸術」を通じた「芸術体験」を

(注7) ジョアン・シェフ・バーンスタイン著『芸術の売り方』英治出版（2007）p.24

無形の商品と考え、その価値を多くの人々に伝え、さらには「文化」として昇華させていくための活動、つまり顧客価値を生み出す活動を意味します。

　単なるチケット販売による利益最大化のみでは、文化施設本来の事業目的の達成はできません。「芸術」を提供し、鑑賞者が鑑賞することで「芸術体験」となり、その「芸術体験」の価値を広く発信することで「文化」に結び付けていくこと。単なる集客ではなく、芸術に対するアートリテラシーを身につけ芸術文化のよき理解者となるような人々を育成すること。マーケティング活動を行うためには、こうした「芸術体験」を通じた鑑賞者の自己発見や社会とのコミュニケーションプロセスを重視しなければいけません。

　このように文化施設には「制作」「施設運営」「マーケティング」という３つのパートの役割を果たすことが求められます。各パートの関係性を考えると、「芸術」の創造とは基本的に自己表現であり、マーケティングとは顧客理解と市場適応なので、本質的に両者の主張は対立しがちです。そのため、文化施設の成果に対する全体の意思統一を図るのは容易ではありません。このことが文化施設の事業計画をかなり複雑にしているともいえます。

　さらに市場の変化を予測するのも難しい分野です。従って、どの程度の資金調達が必要か、どのくらいの観客動員が見込めるか、どのようなプログラムを提供すれば市場に受け入れられるのかを見通すことは非常に困難です。こうしたことから施設全体としてどのような価値の提供を重視すべきなのかという根本的な問題についてどうしても部門や関係者によって見解が異なってしまいます。

　しかし、この「制作」「施設運営」「マーケティング」という３つ

のパートの連携と協力は欠かせないものです。このような混乱を回避するためには、3つのパートの関係者間の良好なコミュニケーションが欠かせません。それは「3つのパートの関係性」（図1-2）の図に見られるように、各パートが相互依存の関係にあり、良好なコミュニケーションなしには全体としての進むべき道が明らかにならないからです。

　自主制作を起点に3つのパート各々の相互作用を考えると、そこには次のような関係があります。

・自主制作の成功が施設の安定運営には重要（施設の考えや思想に共鳴する「貸館」を誘致する際の営業力強化につながる）。
・自主制作の成功にはマーケティングが重要（集客・券売および「芸術体験」の広報活動が公演成功のカギを握る）。

　要するに、自主公演の成功のためには、券売や広報などの力が重要であり、券売のためには、当然ながら作品力の高さが必要です。そして、公演の成功が評判となり、施設稼働率の向上に結び付くという関係です。

　だからこそ、たとえ一部の業務を外注していたとしても、文化施

図1-2　3つのパートの関係性

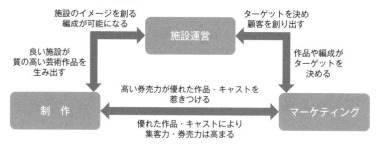

35

設が最大限の成果をあげるためには、3つのパートを対等の関係として扱い1つのチームとして運営することが必要です。そのためには、すべての関係者が施設の思想や理念を共有することが極めて大切となります。各パートにおいて全体の理念が了解され、お互いの了解をもって意思決定する。こうした良好なコミュニケーションを実現するために、日頃の情報共有が欠かせないのです。お互いの対話が滞ってしまうと、情報や知識が担当だけで閉じられてしまい、各パート間の有機的なつながりが生まれにくくなります。

　文化施設が継続的な事業運営を行うためには、外注の有無にかかわらず3つのパート各分野においてノウハウを学び、スキルを高め、施設内で共有化し、進化させるインナー活動と、外部に向けた販売力、営業力の強化や広く社会に向けて施設の存在意義に関わる理念を伝え、多くの共感を得るためのアウター活動の両輪をともに充実させることが必要です。

第 2 章

文化施設のマーケティング戦略

文化事業の歴史

　「芸術」のマーケティングという場合、2つの意味があります。
1つは、文化施設や芸術団体などが行っている「事業活動」におけ
るマーケティングです。もう1つは、「芸術作品」や「アーティス
ト」に関するマーケティングです。本書では、文化施設のマーケテ
ィングについて論じていますので、前者の意味となります。ここで
いう「事業活動」とは、演劇、舞踊、音楽などの舞台実演芸術であ
れば「公演」の制作・上演・チケット販売という一連の活動を指し
ます。美術館の場合は「展覧会」の制作・展示・チケット販売、映
画では「上映作品」の買い付け・上映・チケット販売ということに
なります。各々がおかれているマーケティング環境は異なりますの
で、マーケティング活動について述べる本章以降においては、特別
な断りがない限り舞台実演芸術すなわち「公演」を前提に話を進め
ます。

1．クラシック演奏会の変遷

　今日われわれが思い浮かべる「芸術」という概念は、18世紀から
19世紀にかけてヨーロッパにおいて成立したとされています。この
時代に「独創的」「作品」「天才」など今日「芸術」を語る際のキー
ワードとなる概念が成立したようです。まさにこの時代のヨーロッ
パで「美」や「芸術」に関する思想が大きく変わったのです。

　文化施設が「芸術」を提供する上で、その起源と変遷を振り返る
ことは重要なことだと思いますので、少し長くなりますが音楽学者

渡辺裕の著書『聴衆の誕生』の記述などをもとに、クラシック演奏会の「聴衆」について考えてみます。（注１）

　まだ「芸術」という概念が確立していなかった18世紀の演奏会は、基本的には社交の場であり、貴族社会の人間関係を維持するための場でした。19世紀に入るとそうした位置づけが変わり始めます。多くの人々が音楽を聴くために演奏会に出かけて行くようになったのです。そのため演奏会を支える基盤が貴族の個人的人脈から大衆を相手にした商業ベースの運営に変わり、音楽家と聴衆の関係も個人的なものから不特定多数の聴衆を相手にする関係に変わっていきます。いわゆる「マス・カルチャー」の出現です。

　この「マス・カルチャー」が演奏会のあり方を一変させます。演奏会は特定集団の社交のしがらみから解き放たれ、純粋に音楽を聴きたい人の集まる場となったのです。そのため、そこで提供される作品は集中して聴くにふさわしい「高級音楽」とされ、人々の聴取態度は作品を理解するためにできるだけ作品以外の音を排除し、「高級音楽」にふさわしい禁欲的な聴き方をする「集中的聴取」の方向に進んでいきます。

　これが啓蒙主義という名で西洋文化を支配する大人の精神的な文化となり、クラシック音楽の非日常化の歴史につながります。

　今日まで続く静まりかえったホールの中で物音ひとつたてずにじっと音楽に聴き入る、あのおなじみのクラシック演奏会の光景の起源です。

　一方、「マシン・エイジ」と言われた1920年代のアメリカで、音楽は集中的に聴くだけでなく、未来に向けた「モダンな生活」への憧れと結びつき始めます。

（注１）詳しくは渡辺裕著『聴衆の誕生』春秋社（1989）を参照

つまり、音楽は映像などと結びつき「トータルな鑑賞体験」となっていきました。しかし、それは別の見方をすれば音楽そのものが実体を離れて、イメージ化して行く過程とも言えます。音楽が新しい技術に触発される形で、非日常的なものから日常化し始めたのです。こうした動きは瞬く間に世界に広がっていきます。

　音楽の鑑賞体験の日常化が進むにつれ、クラシック音楽の世界でも作曲家の数は増大し、演奏会で聴くことのできる曲のレパートリーも急速に広がりました。その影響でかつての「巨匠の名曲」を軸としたクラシック音楽界の秩序は崩れていきます。「大作曲家」や「名曲」の伝統的な価値体系は失墜し、演奏会でもより広範な作曲家と作品を並列的に提供するという価値の平板化をもたらしました。

　このような差異を求めて拡散してゆく聴取態度は、心地よいフレーズなど局所的な体験を求めるものです。これは全神経を集中して作品の構造を理解し、個々の部分を常に全体と関連付けながら解釈するという伝統的な「集中的聴取」とは明らかに異なります。こうして眼前に次々と展開するさまざまな音のイメージ、心地よさに身をゆだねる「軽やかな聴取」という新たな聴衆が生まれました。

　このようなクラシック演奏会の変遷を振り返ると、当たり前と思ってきたクラシック演奏会の厳粛な雰囲気は、実は近代ヨーロッパ特有のむしろ特殊な聴取態度にすぎなかったことがわかります。

　いまだに「芸術」たるクラシック音楽は商業主義や流行に流されることなく、崇高な道を厳粛に歩むべきであるという考えも見受けられますが、クラシック演奏会に行くという行為をひとつの「芸術体験」と考えれば、"このホールで行われる演奏会に行くと、どこかこれまでの演奏会と違った雰囲気を感じる"など音楽そのもので

はない空間イメージの認識も非常に重要な要素となっています。

　これは演奏会が音楽そのものの機能価値としてではなく、「差異」をあらわす記号として消費されているからとも言うことができます。いわば「文化の消費」です。この心理的な要因により"演奏会に行く"という意識と、"○○ホールに行く"という意識の違いが生まれます。

　特に首都圏においては、多数のコンサートホールが存在しており、差別化の視点は欠かせません。その上、クラシック音楽もかつてのようにコンサートホールに閉じ込められたものではなくなり、街や家庭のなかに日常的に入り込んでいます。だからこそ単に音楽を提供するだけでない「トータルな芸術体験」を提供するという視点が重要なのです。

　テレビ制作者であり、音楽プロデューサーでもあった萩元晴彦はかつて音楽ホールをプロデュースした時の考えを次のように述べています。（注2）

　　お酒が飲めて、終わった後にちゃんと食事のできる場所がある。それらのことを一切ひっくるめて、ハレとケでいえば、ハレのホールにしよう。
　　音楽を聴くのだけれども、ちょっとお洒落して来たほうが幸せで、「音楽も聴きますけど、私の洋服も見てちょうだい」という、ヨーロッパ、アメリカ並みのホールにしようというコンセプトで提案しました。

　かつて19世紀のヨーロッパにおいても、抜きんでた技量をもつ音

（注2）福原義春著『文化は熱狂』潮出版社（1995）p.153

楽家を意味する「ヴィルトゥオーソ」人気という一種のブームがあったそうです。その代表格がフランツ・リストです。当時、多くの女性ファンは彼の容姿と演奏に熱狂したそうです。これはまさに今の「推し」の原点ではありませんか。

音楽にはさまざまな楽しみ方があります。「芸術（教養）」と「エンタテインメント（娯楽）」、「音楽の聴取態度」と「コンサートホール」などの関係を考える時、クラシック演奏会の歴史的変遷は、文化施設における「芸術」のマーケティングに大きな示唆を与えてくれます。

２．わが国における劇場と催事の歴史

次に演劇の公演が行われる「劇場」の歴史にも簡単にふれておきます。西洋の劇場は「都市」から始まっています。そのため客席から舞台を見下ろす構造や客席の配置が階級構造を反映しているなど劇場空間がそのまま街の縮図となっています。

一方、わが国の劇場空間は「野」から始まっています。神がいて、舞台とそれを取り囲む場所があり、そこで役者が演じる。人々が集い、神と一体になってともに楽しめば、その非日常的な「場」がそのまま「劇場」でした。これが原型となり役者も観客も芝にいるという「芝居」となったのです。観阿弥、世阿弥の時代からわが国では「劇場」といえば野営であり、庭の一画に幔幕を張り舞台を作り演じていました。それは屋外のごく簡素なしつらえでした。このように日本人にとって「劇場」は近代まで「小屋」のままでした。

西洋式の本格的な「劇場」が日本に誕生したのは、明治時代の帝

国劇場が初めてです。つまり、わが国では最適な「劇場」のサイズやスタイルについての議論はなく、西欧文化に追いつきたいという国家の意思で、いきなりパリ・オペラ座などを模した立派な「劇場」が造られたのです。演じられるソフトや「劇場」の成り立ちを大切にするのであれば、質素な小屋での上演という選択肢も検討に値するはずですが、現代まで続く「ハコモノ行政」批判などこうしたハード優先の姿勢は明治時代からほとんど変わっていません。

　また、文化事業については、わが国の場合、戦前から続く新聞社の文化事業と百貨店の催事、1970～80年代のバブル経済期を頂点とする消費財メーカーを中心とした文化プロモーションなど、一貫して企業プロモーションへの依存度が高いのが特徴です。特に美術展などはこうした傾向が現在まで続いています。

　わが国の文化事業はマスメディアや企業プロモーション依存度が高い「市場文化」であるために、ひとたび災害などで文化需要が激減すれば、市場は成立しなくなり、文化事業は壊滅的な打撃を受けてしまいます。その意味で本当に地域に根づいた文化事業は産業としてはまだまだ発展途上なのです。

文化施設がめざすもの

1．ミッションの重要性

　このようにわが国の文化事業は、産業としてはまだまだ未成熟です。そのため事業の「ミッション」を理解、賛同してもらうことがマーケティングの主要な目的の1つとなります。「ミッション」とは、もともとはキリスト教など宗教を広める活動などを指していましたが、現在では、教育活動や慈善活動から軍事司令や宇宙開発、ゲームに至るまで広く使われている言葉です。ビジネスで使う場合は、「果たすべき役割や使命」あるいは「社会における存在意義」などの意味で使われます。

　文化活動においても「ミッション」は、社会に対して果たすべき公共性の高い役割を示すために広く用いられており、事業の社会的役割とその指針を具体的に明記したものを「ミッション・ステートメント」と呼んでいます。

　文化施設における「ミッション・ステートメント」は、単なる理念や姿勢だけでなく、現実に何をめざし、何をするのかをまとめたものです。マーケティング活動を行ううえでは、「ミッション・ステートメント」の策定は重要です。あらゆるマーケティング活動はこの「ミッション・ステートメント」実現のために行われます。

　文化施設に関わる人は、「芸術」の力を何らかの形で社会に生かしたいと考えている人が多く、「文化」「芸術」と「社会貢献」は結びつきやすいのですが、その一方で「芸術」をビジネス手段と考え積極的に経済活動することは不謹慎であるという考えもあります。

そのため「文化」「芸術」と「ビジネス」を結びつけることは一筋縄ではいきません。文化施設では、こうした立場の異なるさまざまな人々に対し自らの考えを表明し、理解を得るために「ミッション・ステートメント」を明確に表現する必要があるのです。

　例えば、観客に人気のあるレパートリーやアーティストを起用し公演を制作すれば、確かに一時的にチケットは売れ、経済的な成果は上がります。しかし、それを続けるだけでは、鑑賞者の芸術体験を「より深める」ことや、「より広げる」ことにはつながりません。まして、地域の「文化」を創造することはできません。あくまでも社会的、公共的な価値を継続的に生み出すことが文化施設としての本来の目的です。こうした矛盾や認識の違いを避けるためにも、事業を行うに当たってミッション・ステートメントを策定し、それに伴うマーケティング活動の目標を立てる必要があるのです。

　参考までにBunkamuraの、現在のミッションとスローガンを紹介します。

図2-1　Bunkamuraのミッション；サステナビリティ憲章

コーポレートスローガン；「これからも文化を。これからの物語を。」

わたしたちは、多様な背景から生まれた文化・芸術を通じた感動や発見を、さまざまな場所であらゆる人にお届けしていきます。そして、活動を通して相互理解と尊重を促進していき、多様な価値観が響きあう社会を、志をともにするパートナーと創造していくことを目指します。

"école de Bunkamura"	"Cul-Tech"	"Bunkamura VOYAGE"
あらゆる人々に文化・芸術の学びと体験の機会を	文化・芸術とテクノロジーの共鳴	距離を越えた文化・芸術の発信による地域振興
・年齢を問わず、文化・芸術に触れることで、自分の可能性を発見するきっかけを ・国籍や言語など、多様な背景をもつ人達がアクセスしやすい文化・芸術による交流 ・次世代の担い手の育成プログラム	・テクノロジーや先進技術を活用した新しい文化・芸術の創造 ・より多くの人が楽しめるようなアクセシビリティの高い文化・芸術体験 ・文化・芸術の視点から次世代技術のアイデアを育てる	・文化・芸術体験によるさまざまな地域間交流 ・文化・芸術の発展を通じた地域振興 ・地域経済発展のためのパートナーシップ

2. ミッション達成のための2つの課題

　文化施設がミッションを達成するためには、次の2つの課題を解決することが必要です。

課題①：いかにして質の高い「芸術」を提供し続けるか

　文化施設である以上、質の高い「芸術」を提供することは中心的な課題です。質の高い「芸術」、特に舞台芸術である「公演」の制作には質の高いパフォーマンスと多くの鑑賞者が必要となります。民間企業の場合、基本的に「公演」の制作資金は、見込んでいるチケット収入となりますので、ほとんど＜席数×公演数×チケット

代＞で売上が決まってしまいます。

　では、「公演」を制作する原価についてはどうでしょうか。20世紀以降、製造業をはじめ多くのサービス業においても技術革新やデジタル化を背景に生産性が飛躍的に向上しました。しかし、公演制作の分野では、その恩恵を受けていません。人件費など固定費の比率が高く、常にパフォーマンス向上に情熱をかけていますので、新たな表現や舞台装置などには多くの資源が必要となります。そのため制作原価は年々高騰しています。しかし、それに比例して客席数が増える訳ではありませんので、鑑賞者1人あたりのコストという点では生産性はむしろ低下しています。

　こうした売上と原価の差額の埋め合わせを協賛やさまざまな寄付、支援に頼る訳ですが、それも近年は非常に厳しい状況です。このように芸術的な評価が高い作品を制作し、「公演」を開催するためには、その運営に絶えず経済的な重圧がかかります。

　高い芸術性を維持するためには一定の費用は必要ですから、大幅な原価削減は困難です。だからこそ、質の高い「公演」を提供し続けるためには、より多くの鑑賞者の"満足"を生み出すことが必要となります。

　鑑賞者の"満足"を生み出すことが必要な理由は、制作面の理由だけではありません。「貸館」を含めた施設運営という観点からみると、文化施設の中心的売上は、「施設使用料」です。この場合の売上は、公演数になりますので、どれだけの「公演」が上演されているか、つまり稼働率が事業目標になります。高稼働率を維持する点においても、施設に常に多くの鑑賞者が集まるという評判、つまり多くの鑑賞者が"満足"していることが重要なのです。

課題②；いかにして鑑賞者の"満足"を生み出すか

　鑑賞者の"満足"を生み出すことをマーケティングの観点で考えると、それは単なる集客では充分ではありません。鑑賞者の「芸術」への熱狂を生み出すことが求められます。

　そのためには、「満席」であることは大切です。空席は施設の収入を圧迫するだけでなく、鑑賞者の経験やアーティストのモチベーションにも計り知れない大きな影響を与えます。スポーツも同様ですが、客席が大入りなら、鑑賞者は華やいだ、感動的な気分を味わうことができます。またチケット入手が困難な人気の高い「公演」を鑑賞しているとなれば悪い気はしませんが、空席が目立つとなんとなく居心地の悪さを感じるものです。しかし、ただ単に空席を埋めればよい訳ではありません。

　開演直前に、劇場を埋め尽くした多くの鑑賞者の最高に高められた期待感は、出演するアーティストの最高のパフォーマンスを誘発します。そして最高のパフォーマンスが鑑賞者の心を動かします。一期一会、小さな奇跡の積み重ねこそがライブ（生）の醍醐味です。

　劇場内に作り手と受け手が渾然一体となって作り出す熱気が充満することで、鑑賞者は心が動く「感動体験」を超えた「情動体験」を経験することになります。「情動体験」とは心が動く感動が引き起こす拍手、笑顔、声援などの表現をさします。「情動体験」は次回の鑑賞へのモチベーションにつながります。「情動体験」をもつ鑑賞者を一人でも多く生み出すことが、市場を大きくし鑑賞者の"満足"を高めるのです。

　マスメディアが効力を失い、新たなメディアが目まぐるしく誕生する今日、質の高い「文化」や「芸術」を日常的に鑑賞することを

求める多くの人々が存在するにもかかわらず、これまで成功した観客動員戦略の多くが以前ほど効果を発揮できなくなっています。

　音楽プロデューサーでもある萩元晴彦はこのようなことを語っています。（注3）

　　クラシック音楽の人口は1％といわれていますが、僕は残りの99％の方の蛇口をどうやってひねるかを考えたわけです。シェア99％のビジネスだったら何の面白味もないけど、99％の残りだとするとこんなおもしろいビジネスはない。

　従来の成功体験に基づく集客に固執することなく、新たな発想で、常に新たな鑑賞者に興味・関心を持ってもらう「創客」を心がけないと"満足"は生み出せません。

　さまざまな「創客」の工夫により新たな鑑賞者が多く訪れるようになれば、評判が広がり「文化」や「芸術」を愛する人々がますます来館するという前向きなスパイラルにつながっていきます。施設の"賑わい"はさらに周辺エリアにも波及し、地域や街の活気を生み出します。

　作品の芸術性とビジネスとしての経済的成果を両立させるためには、質の高い「芸術」作りだけではなく「創客」の工夫が欠かせません。それには制作部門とマーケティング部門の役割分担と協調が必要となります。

　文化施設の場合、利益を優先し制作業務に販売部門や経営層が過度に介入すると芸術家の創造意欲や自由な発想を抑制し、結果的に「芸術」の質の低下につながる恐れがあります。そのため、「芸術」

（注3）福原義春著『文化は熱狂』潮出版社（1995）p.152

のマーケティングは、基本的にアーティストの創作意欲に沿って「芸術」の制作を行い、その「芸術」を軸に販売計画をたてる作品（商品）中心型マーケティングすなわち「プロダクトアウト」の思考となります。そして、マーケティング部門には制作部門が「芸術」の創造に専念できるよう、市場を見つけ鑑賞者を獲得することで創造活動の継続に貢献することが求められます。その意味で、「芸術」のマーケティングは「芸術」を創造するのではなく広めるための活動と言えます。

　「芸術」の創造はあくまでもプロデューサーとアーティストが主導して制作部門、施設運営部門が行い、持続的な経営を可能にするためにマーケティング部門が支え「情動体験」をもつ鑑賞者を生み出すという関係。各々の部門をバランス良く機能させてこそ初めて鑑賞者の"満足"を生み出すことが可能となるのです。

第3節　鑑賞者の " 満足 " を生み出すための マーケティング戦略

　文化施設が独立したマーケティングの専門部門をもつことはとても珍しいことだと思います。しかし、施設の公共性を考えれば必要な部門だと思います。

　「情動体験」を生み出すマーケティング活動を行うことで、鑑賞者の"満足"を高める。さまざまなジャンルの芸術を愛する人々が地域に集うことで、地域における公共利益という芸術の社会的便益を最大化する。これがマーケティングの部門が必要な理由です。

　マーケティング部門の実際の活動を説明する前に、文化施設は市場をどう考えるべきか、マーケティングの基本戦略について説明します。

1．市場の考え方

　前述のようにマーケティング部門には、「情動体験」をもつ鑑賞者を生み出すこと、つまり「創客」による市場の創造が求められます。

　市場とは、言い換えれば購買者の集まりですので、文化施設の場合、あくまでも対象は有料公演、有料鑑賞ということになります。つまり文化施設の市場は「鑑賞という行為にお金を払う人々の集合」と考えることができます。

　こう考えると、「芸術」の愛好者や理解者または自分で演奏や実技を行う人たちは文化施設にとって確かに潜在顧客ではありますが、それだけではまだ有料鑑賞者、つまり顕在顧客にはなっていま

図2-2　市場の考え方①；Bunkamura来館者の居住地分布

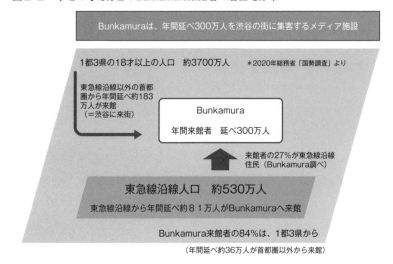

Bunkamuraは、年間延べ300万人を渋谷の街に集客するメディア施設

1都3県の18才以上の人口　約3700万人　＊2020年総務省「国勢調査」より

東急線沿線以外の首都
圏から年間延べ約183
万人が来館
（＝渋谷に来街）

Bunkamura

年間来館者　延べ300万人

来館者の27%が東急線沿線
住民（Bunkamura調べ）

東急線沿線人口　約530万人

東急線沿線から年間延べ約81万人がBunkamuraへ来館

Bunkamura来館者の84%は、1都3県から

（年間延べ約36万人が首都圏以外から来館）

せん。顕在顧客となってはじめて市場が生まれる訳ですから、文化
施設にとっての市場はあくまでも顕在顧客、すなわち実際に施設で
鑑賞する有料鑑賞者が対象となります。

　来館者数は、多くの施設でも把握していることと思います。顕在
顧客を考える場合、まず自分たちの施設への来館者数をもとに市場
の地理的な広がりについて考えてみましょう。Bunkamuraを例に
すると、新型コロナウィルス感染症が拡大する前の2019年までの年
間来館者数はおよそ300万人でした。地理的な広がりはどうでしょ
う。

　市場の考え方①の図の通り、Bunkamuraの来館者の84％は首都
圏から来館しており、27％が東急線沿線の居住者です。あくまでも
延べ人数ですが、来館者は東急線沿線からは年間81万人、沿線以外

の首都圏から183万人、首都圏以外から36万人ということになります。このように東急線沿線からの来館率は約３割で、首都圏を中心に広範な地域から多くの人を渋谷の街に呼び込んでいるメディア施設であることがわかります。こうした来館者の地理的分布の把握は、広告や広報活動において媒体戦略を立てる上での指標となります。

　続いて、市場規模（鑑賞者数）を潜在市場と顕在市場に分けて推定してみましょう。文化施設にとってすべての人が市場対象になる訳ではありません。市場対象者とは、芸術鑑賞者を意味します。ここでは、文化庁が行っている「文化に関する世論調査」で調べられた「18才以上成人の過去１年間の芸術鑑賞経験率」の数値を使い、首都圏の市場規模（鑑賞者人口）を推定してみましょう。「何らかの芸術鑑賞を行ったことがある」という鑑賞経験率は52.2％ですので、首都圏の鑑賞者人口は推定1931万人です。これが首都圏の文化施設における市場規模と考えることができます。

　同様の手順で、自分たちの施設の鑑賞者人口と市場規模における顧客化率を把握することができます。顧客化率はジャンルごとに算出すると、各ジャンルにおける強みと弱みの把握に役立ちます。例えば、首都圏での経験率がジャンルＡは10％、ジャンルＢは２％とすると、ジャンルＡの市場規模は370万人、ジャンルＢは74万人ということになります。市場の規模という点ではジャンルＡはジャンルＢの５倍の規模となります。

　自社の施設のジャンルごとの鑑賞者人口も推定する訳ですが、仮にジャンルＡ，Ｂともに20万人としてみます。市場の考え方②にあるように首都圏の市場規模のなかでの顧客化率を計算し、どのくらいを自社の市場にできているかという視点で両ジャンルを比較する

と、ジャンルAは5％に留まるのに対し、ジャンルBは27％となります。つまり、両ジャンルは自分たちの施設の鑑賞者人口という点では同じ規模であっても、顧客化率という観点で比較すると、BがAの5倍以上のシェアを獲得していることがわかります。

　各ジャンルの競合施設数やおかれている競合環境が異なりますので、一概には言えませんが、市場を把握する際は、単に規模（鑑賞者人口）を見るだけでなく市場規模に対する顧客化率を見ることで、そのジャンルにおける自分たちのポジションがどの程度なのかを把握することができます。ポジショニングによって新規顧客の獲得にどの程度力を入れるべきかなど、その市場に適したマーケティング戦略は異なるので、こうした認識を持つことは重要です。

　このように自分たちの鑑賞者人口と市場規模に対する顧客化率を

図2-3　市場の考え方②；ジャンル別での市場規模とシェアの比較イメージ

1都3県の18才以上の人口　約3700万人　＊2020年総務省「国勢調査」より
何らかの芸術鑑賞を行った全体の経験率は、52.2%、＊2022年文化庁「文化に関する世論調査」より

首都圏の芸術鑑賞者人口は1931万人

	ジャンルA（鑑賞経験率10％）	ジャンルB（鑑賞経験率2％）
ジャンル別に推定	**370万人** ←	74万人
（　）は顧客化率	20万人（5%） →	20万人 **(27%)**

自分たちの施設での鑑賞者

市場規模としてはAがBの5倍の大きさ。
自社の市場としてみれば、規模は同じだが、顧客率（シェア）はジャンルBがAの5倍を獲得している。

把握することがマーケティングの第一歩となります。公開されている統計データや会員データ、アンケートなどを活用すれば自分たちの施設の市場規模を把握することは可能です。市場の把握は、事業計画や制作スケジュール、編成計画をたてる際の基礎資料となりますので、必ず行わなくてはいけません。

２．市場攻略の仕掛けづくり

　文化施設は、最終的には「地域の文化を創造し振興する」ことを目的としていますが、来館した鑑賞者に対する売り物は、芸術鑑賞という無形の体験です。そのため「芸術」をマーケティングの対象としてみた場合、「芸術体験」という無形の商品を提供していることになります。鑑賞者の体験という視点で「芸術」を提供してこそ、その体験は鑑賞者のものになります。要するに「今日は良い鑑賞ができた」と鑑賞した人が自らの体験に価値を感じて"満足"してもらうことが重要です。

　鑑賞者は、事前に抱く「期待値」を実際に体験して感じた「効用」が上回って初めて"満足"を感じることができます。鑑賞者が芸術鑑賞という体験に抱く期待値は、作品そのものだけでなく、作品や訪れる施設や地域、街に関するさまざまな情報や周囲の評判からも影響を受けます。体験に対する"満足"は、芸術鑑賞にまつわるさまざまな要素が重なって作られるものなのです。

　ですから、ここでいう体験とは、決して施設内だけのものではなく、鑑賞する人が家を出てから帰るまでの時間と空間に関するあらゆる体験を意味します。この体験を記憶に残るような"良い体験"とするためには、単に鑑賞するだけでなく、その鑑賞を体験として

「語る」ことへの配慮や仕掛けがとても重要になってきます。その仕掛けがマーケティング戦略です。

　市場はジャンルによって競合環境も異なりますし、立地によって施設のポジションも変わりますので、実際には提供する作品やジャンルごとに細かくマーケティング戦略を考えるのですが、当然ながら、全体としては現在の顧客（鑑賞者）の維持をまず優先して考えます。しかし、それだけでは「創客」につながりませんし、"良い体験"を生み出すこともできません。結果的に、鑑賞者の"満足"を生み出すこともできません。そこで、市場との関係を意識して大きなテーマとして次の３つを定め、さまざまな仕掛けづくりを行っていきます。

① 「語らいの場」を作る

　このテーマは、潜在市場における顧客化率が進んでいる場合において特に重要です。満足度を上げるためには、芸術性の高い作品と質の高いサービスの提供を前提に、鑑賞者との接点を強化し、より有意義で有益な情報提供を行う必要があります。現在、文化施設に関する情報収集や問い合わせはほとんどがスマートフォンから行われていると思います。そのため、あくまでもオンラインでの対応が主体にはなりますが、顧客層によっては、電話受付やチケットカウンターなどアナログチャネルも維持し、顧客行動に合わせたきめ細かい対応を行っていくことが必要になります。

　さらに、文化施設は単に「芸術体験」を生み出すだけでなく、それに付随するさまざまな要素について語り合う場でもあります。

　鑑賞者の"満足"を生み出すためには、共通の「芸術体験」を自分の言葉で語り合える場づくりが重要です。語り合う体験の内容は、

作品の質についてだけでなく、施設の快適性や地域や街へのアクセスなどの環境面に関する要素も含まれます。

　文化施設においても、語らいの場づくりとして、鑑賞後の食事やホテルの宿泊をセットしたプランの開発や近隣飲食店舗との連携なども検討する必要がありますし、公演前の「事前講座」などのリアルイベントも随時開催した方が良いと思います。

　さらに、鑑賞者が自分の感想や意見を発信するソーシャルメディアも特に近年は語り合いの場としての重要度が増してきておりますので、ソーシャルメディアの活性化にも力を入れていく必要があるでしょう。

②コアなファン層を拡大する

　自分たちの施設のファンともいうべきコアなファン層を拡げていく仕掛けづくりも大切なテーマです。自社施設のファンを増やすことで競合施設との差別化を有利にし、作品だけでない来館要因を高めていくことをめざします。

　このテーマは施設へのブランドロイヤルティを高めることですので、質の高い「芸術」の提供を通して地域の文化的なシンボルとなり、来館者個人と地域との結びつきを強めることが狙いとなります。そのため、文化施設が地域連携や街づくりにおける有力なメディアとして公共的役割を果たすことが重要になります。そのため地元のお祭りやクリスマスなどさまざまな地域イベントとの連携を図り、近隣施設とのセット券や周遊券を販売するなど、積極的な施設アピールが必要です。

③新しい鑑賞者を開拓する

　最後のテーマは、地理的、時間的、価格的などさまざまな要因から来館への障害があり、なかなか来館に結びつかない施設にとっての新たな鑑賞者層を開拓するための仕掛けづくりです。言わば潜在顧客の顕在化です。顧客化率の低いジャンルではどうしても取り組まなくてはいけない重要なテーマで、若年層のトライアル促進のための「U-25チケット」や次世代の芸術鑑賞を促進するなど、さまざまな取り組みが必要です。

　また、特に遠方に住んでいるなど地理的要因によりライブ（生）の舞台芸術にアクセスしにくい遠方居住者や、仕事の都合で上演時間にはどうしても来館できない、子供が小さいので劇場まで行けないなど、ライフスタイルなどの理由で潜在化しているニーズを掘り起こして顕在化させることも重要です。こうした課題の解決策の1つとして「配信による鑑賞」の仕組みづくりも有効です。

　このようなアウトリーチへの取り組みはすべて新たな価値を創出するための仕掛けづくりです。

　クラシック音楽を例に考えてみると、ヨーロッパには貴族のサロン文化に始まり現代まで脈々と続く「家庭音楽」の伝統があり、家族が集まって室内楽を味わうことが生活の中に浸透しています。つまり、クラシック音楽は決して「非日常」のものではなく、生活の中に溶け込み日常化している訳です。わが国におけるこれからのクラシック音楽の普及を考える時、日常の音楽文化をいかに支えていくかという視点も大切だと思います。その意味でもコンサートなどの「配信」をはじめ場所を選ばない「芸術」の提供、つまりアウトリーチに積極的に取り組んでいかなければいけないと思います。

　このように自分たちの施設が置かれている市場環境に合わせてさ

まざまな戦略を組み合わせてマーケティング戦略を作り、実践して
いきます。

第4節　マーケティング活動を支える人材育成

　戦略は作って終わるものではありません。それを実践するために
は、日々施策に取り組む「人材」が大切であることは言うまでもあ
りません。この章の最後に文化施設におけるマーケティングスタッ
フの育成について説明します。

1．人材教育の重要性と課題

　文化施設のマーケティング戦略は、先に紹介したさまざまな仕掛
けづくりや「創客」を行い、「芸術体験」への期待値をチケット販
売に結び付けることで鑑賞者の"満足"を生み出す一連の活動計画で
す。計画を立てる時は、競合する他施設や作品との差別化が図れな
ければいけません。差別化のためには、自分たちの作品や施設の特
性について知り尽くすことが求められます。文化施設は単なる建物
ではなく、音楽・演劇・美術・映画など「芸術」を創り出すために
あります。その意味で、「芸術」のマーケティングに携わる人は、
芸術作品について知らなければいけないのは当然です。そこで働く
人々が芸術を愛し、日頃から親しんでこそ、施設運営にも血が通う
のです。

　文化施設の関係者は、まず自分が芸術を愛しましょう。文化施設
に関わる人は自らの日常生活においても「文化」や「芸術」に関わ
る機会を多く持つことで、鑑賞する人のニーズに目が届く開かれた
仕事の仕方が可能になると思います。

　マーケティングの仕事は、一般的にどの業界においてもお客さま

との一対一の関係を築き、その関係を育てることです。お客さまとの絆を深めること、お客さまの期待をはるかに超えるサービスを提供することをめざします。文化施設においてもこうした努力の積み重ねが、自分たちの施設を支える顧客基盤や協賛企業からの支援基盤を維持し、育てることにつながるのです。

　「クチコミ」が専門のマーケティング研究家のエマニュエル・ローゼンが著した『クチコミはこうしてつくられる』によると、人は自分に似ている人々を好むため、「同類性」と呼ばれる目に見えないネットワークを築く基本原理があるそうです。要するに"類は友を呼ぶ"ということですが、同書では次の2点を指摘しています。(注4)

　　・お互いに似ている人々は、クラスターをつくる傾向がある。
　　・自社の従業員が顧客に類似しているほど、両者のコミュニケーションは容易になる。

　同類の仲間が集まり働くことで、同様の考えをもつ同類の鑑賞者が集まり、円滑なコミュニケーションが成立することを容易にする。これが理想です。

　プライベートな「趣味」の追求が、その域を越えて、いつしか自分の"理想の仕事"像を形成しはじめる。そして、「自分の眼や耳は日頃から鍛えているので、提供する作品は自信をもってお客さまにお薦めできる」というプライドも生まれてきます。

　しかし、現実は厳しいものです。文化施設は多くの場合、ほぼ毎日稼働し続ける施設です。誰もがこうした境地に達する訳ではあり

(注4)エマニュエル・ローゼン著『クチコミはこうしてつくられる』日本経済新聞社（2002）p.84-87

ません。そのため、マーケティング活動を安定的かつ継続的に行っていくためには、さまざまな適性をもつ人材のバランスが大切です。

　画一的なMBA教育を批判したヘンリー・ミンツバーグは、経営というものは、「アート」と「サイエンス」と「クラフトマンシップ」の混ざり合ったものだと指摘しています。（注5）

「アート」
　組織の創造性を後押しし、社会の展望を直感し、ステークホルダーをワクワクさせるようなビジョンを生み出します。
「サイエンス」
　体系的な分析や評価を通じて、「アート」が生み出した予想やビジョンに、現実的な裏付けを与えます。
「クラフトマンシップ」
　地に足のついた経験や知識を元に、「アート」が生み出したビジョンを現実化するための実行力を生み出していきます。

　ここでポイントとなるのはこれらのどれかが1つだけ突出しても経営はうまくいかないということです。しかし、文化施設のスタッフは基本的に「芸術」を愛する人々が多いとは思いますが、必ずしもマーケティング業務を志向している訳ではありません。当然ながら思考も「アート」もしくは「クラフトマンシップ」に傾き、もともと「サイエンス」の思考は希薄です。それだけにマーケティングスタッフの人材教育では「サイエンス」の思考をいかにして育むかが重要な課題となります。
　「アート」「サイエンス」そして「クラフトマンシップ」というバ

ランスの良い思考育成のためには、鑑賞者の"満足"を生み出すという目的を共有し、個々のモチベーション作りとスキルアップのトレーニングが欠かせません。

「サイエンス」の思考を支援するさまざまな分析ツールを導入した上で、"われわれのお客さまとは誰なのか""お客さまにとって何が重要なのか"を学び、個別のコミュニケーションやプロモーションを考えるための教育プログラムを充実させなくてはいけません。それが制作スタッフのパートナーとして、「芸術」に仕えるバランスの良いマーケティングスタッフの育成につながります。

２．人材教育の実践

マーケティング部門が必要とするスキルは、発想力と表現力、それを支える分析力、実践力です。しかしながら、各個人がこれらすべてのスキルを兼ね備える必要はありません。人には向き不向きがありますし、自分が情熱を燃やせ、興味をもてる業務でないと、モチベーションは上がりません。多様性と個性を尊重しつつ、バランス良く人材を配置し、各々に適したスキルアップを図る。そうすることで組織全体のマーケティング遂行能力が上がるように教育プログラムを考えていくことが重要です。最も重視すべきは、鑑賞者の"満足"を生み出すという目的の共有です。

どんなに良い作品を作っても、顧客（鑑賞者）に知られなければ、それは存在しないのと同じです。そのためにさまざまな顧客との接点を作り情報を発信していきます。鑑賞する人は、WEBサイト、メールマガジン、チラシ、ポスターなどの広告によるコミュニ

（注５）山口周著『世界のエリートはなぜ「美意識」を鍛えるのか？』光文社（2017）p.52-54

ケーションやチケットカウンター・電話での対話を通じて情報に接触し作品の存在を知ります。同時に、その接触体験は施設への期待値や満足度に影響を与えることになります。そのためあらゆるスタッフを交えたマーケティング目標の共有がとても大切です。

　部門における目標を共有した上で、日常業務を通じたトレーニングと教育プログラムを組み合わせ、モチベーションの向上とスキルアップに取り組んでいきます。その際、特に重視すべきポイントが３つあります。

①１人で考えない仕組みづくり

　チケット販売は、休むことなく毎日行う業務です。そのためいくら優秀な人間でも決して１人でできることではありません。また、自分たちの施設でオンライン販売をしている場合は、販売を支えるシステムのメンテナンスも毎日必要となります。そのため、各スタッフが孤立することなく、お互いの信頼と組織としての調和が安定した活動には欠かせない要素となります。

　この調和については、配慮が必要です。わが国の組織では多くの場合「和」を重視しようとすると、自分の個性を生かすよりも、むしろ必要以上に自己を抑えてしまいがちです。自分の意見を言うことはむしろ「和」を乱すと考えてしまうからです。しかし、一般的に西欧の組織では自己の存在や意見を生かしながら、「パブリック（公共、公衆）」に対する倫理観をもって調和を生み出そうとします。文化施設は「文化」を創ることを生業としているので、西欧型の調和、つまり個人の存在や意見を活かした全体的な「調和」をめざす組織であるべきだと思います。

　そのためには、会議体の的確な運用が極めて重要です。自分の意

64

見を自由に言える場として、自主性を尊重した上で組織との信頼を築く会議運用を周知徹底することです。特に会議の際に、気軽に自分の意見を言える雰囲気づくりが肝要です。

　そうすることで、一人ひとりのスタッフが新しい経験に対して開かれた姿勢を持てるようになり、多様性に富んだ人的ネットワークが生まれます。１人で考えずに皆で考える。人材教育の基盤は、開かれた人間関係を築くためのチームワークづくりです。

②現場意見を重視した運用

　鑑賞者と直に接する現場スタッフは、問い合わせなどを数量に記録するだけでなく、その言葉や態度から感じた質的な情報を日々まとめておくことを推奨します。そして、上長はすべての報告に目を通すべきです。時にはかなりのボリュームになりますので、大変なことなのですが、提供サービスの質の評価には現場スタッフの視点は欠かせません。こうした報告をもとに、定例会議を開き、どうして問題が起こったのか、解決するためには何をすべきかを皆で議論します。報告すれば、必ず解決に向けた議論が行われる。この信頼関係がマーケティング活動の質を支えるのです。

③価値の共有と自主的な提案

　チームワークを築き、鑑賞する人の声に耳を傾け、日夜サービスの質の向上に取り組む。マーケティング力を向上させるためには、これだけでは足りません。特に意識して強化していかなければいけないのが、鑑賞者の“満足”を生み出すという目的を部門員全員が腹落ちするまで繰り返し説明することと、先に述べたように「サイエンス」の思考を日々の業務に取り込むことです。「サイエンス」の

思考とは、“われわれのお客さまとは誰なのか”“お客さまにとって何が重要なのか”を探り、自分なりの仮説を立てることです。そして、その仮説を実践する施策を計画し、その結果を検証することです。こうした一連の思考と実践力を身に付けることです。これは、日々の業務だけで身につくものではなく、基礎となる知識とスキルの習得が欠かせません。

3．プランニング力向上のために

　こうした一連の思考を身に付けるためには、まず思考の枠組みを自分のものにする必要があります。しかし、この枠組みづくりを個人任せにしてしまうと、方法論や用語もバラバラになり、部門全体としての共通の意識が生まれないため、皆で考える時にとても効率が悪くなってしまいます。

　しかし、だからと言って一方的に押しつけられたものでは意味がありません。自発的に考えるという情熱が何よりも大切です。クリエイティビティにあふれる戦略はひとりの情熱から生まれることが多いのです。

　この点については、萩元晴彦の有名な言葉が思い起こされます。（注6）

　　何か非常に素晴らしいこととか、新しいこと、美しいことというのは、一人の人間の熱狂から始まると思うんです。それなしには何も動かない。

　広告会社ではこうした問題を解決するために、共通の枠組みで自

由な思考を促すプログラムを開発しています。広告の仕事は顧客の心理を分析してクリエイティブで行動変化を促すことを旨としていますので、この枠組みは文化施設のマーケティング力の向上にも有効です。一例として、東急グループの広告会社である東急エージェンシーが開発した「V-WAYS®」というコミュニケーション戦略立案ツールを使ったワークショップ研修を紹介します。

「V-WAYS®」は、ブランドのビジョン策定と、その実現に向けた戦略立案の議論プロセスです。ブランドコンディションを踏まえた上で、顧客とともにブランドが進むべき道を構築していくツールです。

①Bunkamuraマーケティング部門でのプランニング研修

新型コロナウィルス感染症の拡大以降、Bunkamuraでもこれまでのやり方が通用しない局面に多々直面するようになりました。そうした状況下で、マーケティング部門においても「Bunkamuraブランドをどう発信すべきか」「新たなお客さまに公演・展覧会のチケットを買ってもらうにはどうすべきか」「街の文化振興にどのように貢献したら良いのか」といった課題に直面しました。

そこで、ワークショップ型の研修を導入することにしました。参加者にワークショップを通じて改めてマーケティングやコミュニケーションプランニングを体系的に習得してもらうことが狙いです。業務は毎日続きますので、1度に10名程度が交替で参加する形式で実施しました。

研修では、複数の問題点の中から最も解決につながるインパクト

（注6）福原義春著『文化は熱狂』潮出版社（1995）p.150

のある問題点を特定、解決のための課題を設定し、その際、コミュニケーションの目的やターゲットとターゲットを動かす動機を考えていきます。

実施風景の写真

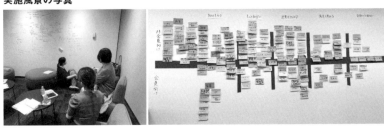

　こうしたコミュニケーションプランニングの原理原則をフレームに沿って業務遂行をするチームメンバーと共に体験することで、実務においても再現しやすいワークショッププログラムとなっており、実際にオンラインでのチケット販売組織である「MY Bunkamura」登録者向けメールマガジンを制作する際の業務改善に活かしています。

②Bunkamuraにおける券売施策への展開・活用

　プランニング研修を実施してから半年ほど経過し、マーケティング部門のなかではいくつかの変化が見られるようになりました。

　まず変わったのは議論のスタイルで、研修前は担当者が自分の業務を遂行した後、会議で施策案を報告することが多かったのですが、メンバー間で考えを拡散して集約する方法を体験し議論の共通言語を得たことで、現在は会議室以外の場所でも必要に応じてシート型のホワイトボードや付箋を使ってメンバーが思いついたアイデ

アを書きだしてそれについて担当者以外も参加して討論するなど、開かれた議論の場が生まれ活発な意見交換が行われるようになりました。

　共通のプラニングツールを使うことで、専門的な知識のないスタッフでもコミュニケーション目的から順序立てて考えることができ、他のスタッフと論点を揃えて発言することができるようになります。こうした平等な議論の場が増えたことで、意見を出しやすくなったり議論から楽しいアイデアが生まれたり、さらにそのアイデアを実現することに意欲を感じて達成感が得られるといった心理的な効果も生まれています。

　このワークショッププログラムは、日々の実務においても再現しやすいように文化施設向きにアレンジした内容で実施しているため、施策立案のスキルアップだけでなく、チームワークの向上にも有効で、スタッフのモチベーション変化だけでなく、ビジネス面での成果にもつながってきています。コミュニケーション戦略のポイントが掴めたことで、「MY Bunkamura」登録者へのメールマガジン配信・作成業務ではターゲットを明確にでき、メールのタイトルや文面、配信タイミングの精度が上がり、メールによる顧客コミュニケーションの成果が数字に現れてきました。

　例えば、毎年恒例の公演における登録者向けのメールの開封率とクリック率について研修を受ける前の2019年と受けた後の2022年で比較すると、次項の表のようにすべてのスコアが上昇しています。

表　ワークショップ研修実施前後の変化

	2022 年（対 2019 年比）	
	メール開封率	クリック率
ミュージカル A	＋ 7 pt	＋ 17pt
ミュージカル B	＋ 13pt	＋ 4pt
コンサート C	＋ 16pt	＋ 22pt

＊毎年恒例の公演で2019年と2022年の結果を比較

　配信後の振り返りにおいても、事前にコミュニケーションの目的を明確にした上で、チーム内で共有できているため、レビューの視点も明瞭で次の施策案も考えやすくなりました。コミュニケーションに必要な要素を論理的に整理できるため考える時間が短縮されるだけでなく、他の部門の担当者と打ち合わせの際にも意図が伝わりやすくなり、業務効率も改善されました。

　このようにもともとマーケティングやコミュニケーションの専門家ではないスタッフが多い文化施設においても、適切なプランニングツールを使って「サイエンス」の思考を体系的に習得し、プランニングの共通言語化をすることは有効です。こうしたトレーニングにより部門内の議論のあり方から業務の効率化、ビジネスの成果につながる良好なサイクルが生まれ、組織としての成長につながると思います。

　「芸術」とは過去への理解を深め、未来へ目を向けさせてくれます。そして、日々絶えることなく文化施設の活動は続いていきます。こうした教育プログラムのもと鑑賞者の“満足”を生み出すマーケティング活動は常に新たな視点で模索を繰り返しながら進化を続けることが重要です。

第 **3** 章
"満足"を生み出すマーケティング活動

本章では、マーケティング部門の実際の活動について説明します。文化施設のマーケティング部門は、大きく分けて販売部門と広報部門の２つに分けられます。どちらの部門においても欠かせないことは、われわれは何を提供するのかという「提供価値」と、われわれのお客さまは誰なのかという「顧客理解」です。この「提供価値」と「顧客理解」について説明します。

第1節　提供価値と顧客理解

1．提供価値

　鑑賞者にとって「芸術」の鑑賞は手段であり、目的ではありません。では、何が目的なのでしょう。芸術鑑賞の目的は、突き詰めると自らの「心豊かな生活」の実現と考えられます。「心豊かな生活」を送るために、人は「芸術」を鑑賞するのではないでしょうか。しかし、思い描く「心豊かな生活」は人によって異なります。

　"満足"を生み出すためのマーケティングがめざすものは、鑑賞者の鑑賞目的を踏まえ「心豊かな生活」を実現することです。芸術鑑賞の場合、高い芸術性を提供しなければならないのは当然ですが、芸術性が高いからといって、それだけでは必ずしも鑑賞動機には結びついていません。そこに提供する施設側と鑑賞者の大きなギャップが存在しています。「芸術」を提供する施設側は、「良いものだから是非観てください」と叫ぶだけではなく、「鑑賞者は何を期待しているのだろう」という視点を常に合わせ持つ必要があるのです。

　つまり、"満足"を生み出すためには、コミュニケーションの送り

図3-1　マーケティング・コミュニケーションで重視すべき３つの価値

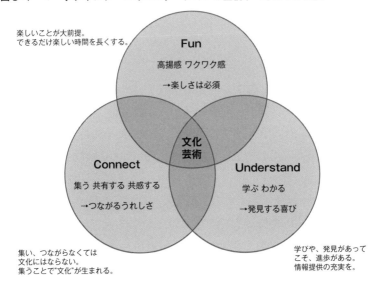

楽しいことが大前提。
できるだけ楽しい時間を長くする。

Fun

高揚感 ワクワク感

→楽しさは必須

文化
芸術

Connect

集う 共有する 共感する

→つながるうれしさ

Understand

学ぶ わかる

→発見する喜び

集い、つながらなくては
文化にはならない。
集うことで"文化"が生まれる。

学びや、発見があって
こそ、進歩がある。
情報提供の充実を。

手である文化施設の担当者は作品の説明をするのではなく、「芸術」の鑑賞が創り出す価値を鑑賞者の目線で伝えなければいけないということです。どのような作品であれ、伝えるべき提供価値は図に示した３つです。

1つ目は「Fun；高揚感、ワクワク感」です。料金を払って観にきて頂くのですから楽しさは必須です。

2つ目は「Connect；集う、共感する」です。特にライブ（生）の場合、大勢が集まる高揚感、舞台との一体感が醍醐味となりますので、この価値訴求も欠かせません。

3つ目は「Understand；学ぶ、わかる」です。この価値こそが「芸術」と「娯楽」の違いを生むものです。芸術鑑賞の場合、楽しいことが前提ですが、それに終わることなく発見する喜びに結びつ

けることが重要になります。

この３つの価値について、もう少し詳しく説明します。

①＜Fun；高揚感、ワクワク感＞

「芸術」とは、刺激的で、創造的な作り手の意思表現なので、必ずしもすべての人の好みに合うようにはできていません。一方、「娯楽」は市場での受容性に重きを置くため、その主要な目標は多くの人々が観たいものを観せるということになります。

このため、「芸術」を提供する際に気をつけなければいけないのは、「芸術」は高尚でなくてはいけないという思いが強すぎて、過度なアカデミズムに傾斜してしまうことです。

鑑賞者が求めるのは、「芸術体験」であり、チケットの購入理由も「機会の価値（友人や家族を楽しませるため）」「関係の価値（個人的な関係を育て、維持するため）」「季節行事としての価値」や「場の雰囲気の価値」「ヒーリングや癒しの価値」などさまざまです。こうした価値に共通する要素は「楽しい」という価値です。「芸術」といえども、まず楽しい、ワクワクすると感じてもらうという点では「娯楽」と同様なのです。

②＜Connect；集う、共感する＞

文化施設でのライブ（生）鑑賞は、ある意味で集うことに意味があります。集うことは同類の集団への帰属意識が与える安心感につながります。終演後、慌ただしく立ち去る観客は孤独でよそよそしく見えるものです。これは、集うことの価値が十分に理解されていないからだと思います。

視覚や聴覚は情報を伝える主要な器官ですが、視覚や聴覚の情報

だけでは「共感」は生まれないそうです。「共感」や「信頼」を生むには、嗅覚や触覚など、いわゆる「手触り感」が重要だと言われています。つまり、「共感」を生むためには、情報量よりもプロセスと関係性が重要であり、ごく近い距離で対面共有する感覚が「共感」や「信頼」につながるのです。こう考えると、インターネットやバーチャルの世界よりもリアルでの対面コミュニケーションの方が「共感」を生みやすいことも納得がいきます。

　マスメディアは、特定ジャンルの知識がなくても楽しめるように大量の情報を積極的に伝えることで観る楽しみを普及させてきました。こうしたメディアによる大量の情報提供は、視覚や聴覚を通じた情報ですからキャストなどへの強い興味を喚起するためには有効です。しかし、それだけでは「共感」は生まれません。大勢が集って鑑賞するという行動を共有してこそ「共感」に結び付くのです。

　典型的なものが、極めて親密な感覚と距離でサポーター、応援団として集う「ファン」や「ファンクラブ」です。例えば、熱狂的なファンに支えられるアーティストや若者に支えられる小劇団などには多くみられる光景で、演者と観客が目的を共有するという支援の形「推し」は象徴的なパターンです。

　多くの鑑賞者が共に集うことで、くつろいだ雰囲気、見知らぬ隣の鑑賞者とも共同体としての人間的な温かさを感じてもらうことが可能となります。

③＜Understand；学ぶ、わかる＞

　美術館や博物館などによくあるのですが、足を運んでいない人の多くは、興味がないのではなく、鑑賞の仕方がわからないので行かない、または行っても面白くないから行かないという場合が多いと

耳にします。これは、裏を返せば鑑賞の仕方を教えて欲しい、もっと楽しみたいという願望があるということであり、潜在的な顧客が大勢存在すると考えることもできます。彼らは鑑賞のための何らかのガイダンスを求めているのではないでしょうか。

　例えば、能やバレエを考えてみましょう。これらは、本来は言葉がなくても伝わる「芸術」です。にもかかわらず、なかなか広く一般に浸透しないのはどうしてでしょうか。多くの場合、能やバレエは、ストーリーや見どころ、所作や特定の動きが意味する内容など鑑賞の基本的ルールを鑑賞者が知っているという前提で舞台公演が行われています。そのため事前の学習なしにふらりと鑑賞したとしても、その魅力を充分には楽しめないと思います。あるいは、そもそも鑑賞の基本的ルールがあるということすら知らないという人も多いことでしょう。初めての鑑賞をそのような不幸なかたちで経験した人は、以後二度と足を運ぶことはないかもしれません。

　音楽にしても今や配信などのフローメディアで聴くのが当たり前になっているため、資料のストックや記憶など知識の蓄積を必要としません。映画においても早送りが習慣となり、長時間視聴や体系的な鑑賞スタイルは敬遠されるようになっています。「芸術」全般で、特に「芸術」に触れる初期の段階では、少しの学習努力を惜しむことが、その先の奥深さを知ることを阻んでしまいます。

　「芸術」には「知る喜び」があります。さまざまな「芸術」に触れる時、鑑賞の手助けになるようなガイダンスをもっと導入すべきです。鑑賞体験を有意義なものにし、「芸術」の奥深さに対し興味を持ってもらうことはこれからますます重要なテーマになると思います。

2．顧客理解

　「芸術」のマーケティングにおいては、「芸術」が鑑賞者に与える価値を伝えることが重要ですが、鑑賞者の"満足"を生み出すためには、提供する「芸術」の内容や価格、宣伝方法が、鑑賞者の嗜好に合わせて行われなければいけません。そのためには、鑑賞者を理解すること、すなわち顧客理解が欠かせません。

　「芸術」のマーケティングにおける顧客理解は、特に次の3点に留意する必要があります。

（1）購買者と鑑賞者の区別

　たとえすべての席が売り切れていても客席に鑑賞者がいなければ意味がありません。一般的なマーケティングにおいても購買者と使用者を区別して考えますが、特に「芸術」のマーケティングにおいては、購買者と鑑賞者を区別して考える視点は重要です。

　購買と鑑賞の関係を考えた上で、鑑賞への動機の強弱および周囲への購買への影響力に注目すると、2つの顧客タイプを意識すべきです。

　①自ら積極的に芸術鑑賞を行うインフルエンサー
　　・「芸術」に関心が高く、芸術鑑賞が日常化している
　　・友人の数が多く、日頃のコミュニケーション量も多い
　　・自分の鑑賞体験を積極的に発信する
　　・友人のためにも鑑賞計画を立て、勧誘する
　　・日頃から公演情報をよくチェックしている
　②誰かが誘ってくれれば鑑賞するフォロワー
　　・チケット購入は作品やキャストの認知を重視する

・鑑賞理由は、「知人・友人から誘われたから」が多い

・「芸術」への関心はそれほど高くない

・鑑賞体験を自ら発信することはほとんどない

・鑑賞しない理由は理解不足による不安や施設内での疎外感

　数ではフォロワーの方が圧倒的に多いので、特に市場拡大を考える場合などは、フォロワーにアプローチしがちですが、多くのフォロワーはインフルエンサーになる心理特性を持ち得ていません。その意味で、両者は同じ鑑賞者であっても、周囲への影響力が異なります。そのため、あくまでもインフルエンサーを見つけ出し、彼らの購買へのアプローチに注力することが合理的です。

（2）カスタマー・ジャーニー

　「芸術」のマーケティングは鑑賞体験からすべてが始まります。芸術鑑賞は、幕が上がった時に始まるのではありません。アンコールの拍手で終わるのでもありません。鑑賞体験は、鑑賞者がその施設で行われる公演の開催を初めて意識した時から始まります。まず、TV番組や通勤中の駅のポスター、WEBニュースなどで公演情報を目にします。そして、ソーシャルメディアなどを通じてさまざまな気になる評判にも接します。そして、前売り発売の当日にインターネットを通じてチケットを購入。その後も、主催者からのメールマガジンなど、さまざまな形で情報に接し続けます。そこには公演の前後に行く飲食店なども含まれることでしょう。そして、いよいよ公演の当日を迎えます。バスや地下鉄に乗り、街を歩き文化施設に到着。すでに心のなかでは、公演が始まっています。このように鑑賞者と文化施設との関係性はとても長い関係です。これは「カスタマー・ジャーニー」と呼ばれています。

図3-2　鑑賞者との時系列の「つながり」

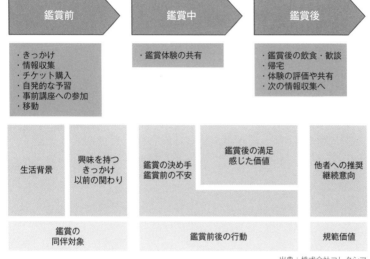

出典：株式会社コレクシア

　デジタルメディアの進化により、鑑賞者はいつでも、どこでも文化施設や公演情報を入手できるようになりました。これは、文化施設の側から見れば鑑賞者と常につながっている状態です。そして、いつチケットを買うのか、どこで買うのか、意思決定は鑑賞者が主導権を握っています。だからこそ、施設側は鑑賞者との関係を情報公開、発売日、公演当日など点で考えるのではなく、線での「つながり」を重視する必要があります。そして、鑑賞者の行動だけでなくその背後にある生い立ちや生活意識なども意識した親密で、継続的な「つながり」を築いていかなくてはいけません。

　鑑賞者との時系列の「つながり」は、図3-2のように「鑑賞前」「鑑賞中」「鑑賞後」に分けて考えます。「鑑賞前」では鑑賞を意識したきっかけや情報収集などを検討するのですが、その際に背景に

ある生い立ちや生活意識も考察すると理解が深まります。「鑑賞中」については、鑑賞の前に感じる不安や満足度に影響する要因を探ることが目的となります。「鑑賞後」はどのような価値を感じたのか、そして、鑑賞後にどのような行動をとったのかを把握することが大切です。さらに、こうした個々の鑑賞者との「つながり」のうち普遍的なものを取り出して「規範価値」として部門全体で共有すればマーケティング施策の計画に役立ちます。

　カスタマー・ジャーニーは、単なる顧客接点ではなく、鑑賞者との長期にわたる関係性を築くことです。では、具体的にどのように考えればよいのでしょうか。

　カスタマー・ジャーニーを研究している加藤希尊は４つのステップがあると述べています。（注１）

　　ステップ１：現在の顧客接点を洗い出し、顧客の気持ちや行動を
　　　　　　　　可視化したカスタマー・ジャーニー・マップを作成
　　　　　　　　します。顧客行動を整理し、現状を把握した上で、
　　　　　　　　これからめざすべき理想の姿とのギャップを認識し
　　　　　　　　ます。
　　スタップ２：新しいカスタマー・ジャーニー・コンセプトを考え
　　　　　　　　ます。現状と理想のギャップを埋め、競争の軸を見
　　　　　　　　直します。他社より優位に立てるコンセプトの発見
　　　　　　　　がゴールになります。
　　ステップ３：新しく考えたコンセプトをもとに、カスタマー・ジ
　　　　　　　　ャーニー・マップを描き直していきます。新しい顧
　　　　　　　　客接点の追加、機能していない施策の改善など、判
　　　　　　　　断を下していきます。

　ステップ４：特に有効な顧客接点を、最新のマーケティングテク
　　　　　　　ノロジーで強化する方法を検討します。描いたアナ
　　　　　　　ログのカスタマー・ジャーニーにデジタルで命を吹
　　　　　　　き込み、少人数のチームでも数10万人から数100万
　　　　　　　人の顧客に対して、価値を届けられる施策を検討し
　　　　　　　ます。

　多くの文化施設においても、オンラインでのチケット販売が主流
になっていると思います。登録時の属性データやチケットの購入履
歴データなどはすでにマーケティング活用をしていることでしょ
う。しかし、鑑賞者との「つながり」を築くには、それだけでは不
十分です。鑑賞者との接点を洗い出し、それを時系列で整理し、
各々の背景を考えることで初めて課題が見えてきます。そのためは
カスタマー・ジャーニー・マップを作成することが有効です。
　ここでは、一例として、過去にBunkamuraで行ったカスタマ
ー・ジャーニー調査の事例を紹介します。

　とりあげたサンプルは、ミュージカルを鑑賞した20代女性のカス
タマー・ジャーニー・マップです。ポイントになる点は以下の通り
です。

＜背景となる意識＞
　ミュージカルは「興味はあったが、機会がなかった」「敷居が高
い」など少し縁遠く感じていましたが、「職場の先輩に借りた
DVD」がきっかけとなり鑑賞への意識が芽生えました。職場での

（注１）加藤希尊著『The Customer Journey「選ばれるブランド」になるマーケティングの新技法を大解説』宣伝会議（2016）p.216-217

友人関係が鑑賞に影響を与えたことがうかがえます。

＜鑑賞のきっかけ＞

　チケットの取りやすさなどを踏まえて、「今行かないと今後観たいときに観られない」ことが決め手となり鑑賞を決定しています。特に前売りなどタイムリーな情報提供がカギを握ります。

＜事前の情報収集＞

　事前にソーシャルメディアで見どころに関する投稿を検索し、楽しみ方を広げようとしています。舞台公演の場合、購買後も鑑賞までの時間が長いことが多いですから、この間の情報提供と「つながり」の持ち方は検討の余地があります。

＜鑑賞の満足度＞

　鑑賞により「新しい世界に触れて自分の世界をより広げられる」

図3-3　鑑賞体験のカスタマー・ジャーニー・マップの事例

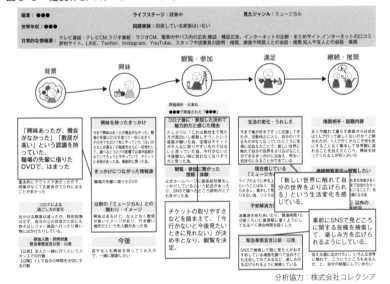

分析協力：株式会社コレクシア

と生活意識の変化を感じています。こうした前向きな気持ちを提供することが目的ですから、感想をさらに友人に発信してもらう、または次回の鑑賞意欲につなげるための施策を考えるべきです。

このようにカスタマー・ジャーニーには、大きな発見がいくつもあります。自分たちの施設の強み、弱みを考える時、競合する施設に負けないように施策を考える時、地域社会との関係を見直したい時など、常に顧客である鑑賞者の立場から考えるべきです。そのような時にカスタマー・ジャーニーの理解はとても役に立ちます。

③ターゲット・セグメンテーション

文化施設の客席には年代、性別、居住地、実にさまざまなタイプの鑑賞者が集まります。演劇であれば、原作を読んだ人、演出家のファン、そして出演者のファン、さらには、今日が記念日の人やたまたま来館した人などなど。動機の強さもさまざまです。どうしても観たくて前々から充分な予習をして来た人、友人に誘われてなんとなく。また、1人で来ている人もいれば、ペアの人、グループの人もいるでしょう。つまり、客席を市場と考えれば均一な市場ではないということです。公演の客席は、鑑賞者の属性や動機などの観点からみると、多くの異なる要素から構成されているのです。

こうしたさまざまな人たち全体に向けて均一な対応では効果は期待できません。マーケティングはターゲット市場を見定めることから始まります。鑑賞者の特性を把握した上で、いくつかのパターンに分類して考えるということです。こうして市場を分割することを「マーケット・セグメンテーション」あるいは「市場細分化」と呼びます。実際にマーケティング活動の計画を立てる際には、このセグメント、つまり特定の鑑賞者にとって魅力的な情報を提供し、ど

うやってチケットの購入を促すかを考えていく訳です。

　セグメンテーションを行うためには、分割する軸を見つけ出さなくてはいけません。この分割軸は鑑賞者のニーズから発見するのですが、むやみに分割軸の数を多くすると、1つのセグメントは小さくなり、極端に言えば1対1で対応することになってしまいます。重要なのは、"誰がわれわれの顧客なのか"という視点です。めざすべき顧客の探索に有効だと思われる分割軸を見つけ出すことがマーケティング担当者にとって最も重要な仕事です。セグメントすることで、対象とすべき鑑賞者像が明確になるため、マーケティング目標も立てやすく、結果的に効率的に計画を立てることができるようになります。

　文化施設は鑑賞者を選ぶべきではない、という考えもあるでしょう。確かにすべての人に鑑賞への扉は開かれているべきだと思います。しかし、実際には施設の客席数、公演回数、開演時間などさまざまな制約条件があります。また、必ずしも、すべての公演が毎回満席になる訳でもありません。より多くの人に、もっと観てもらうためにセグメンテーションのアプローチが必要なのだと思います。

　例えば、"観客の高齢化が進んでいる。だからもっと若い人に観てもらいたい。"という考えで「U25のチケット」を発売する。あるいは、"原作を読んだことのある人に是非観てもらいたい"という思いから「書店でタイアッププロモーション」を行う。これらは立派なターゲット・セグメンテーションです。

　ターゲット・セグメンテーションは、自分たちの施設の鑑賞者を理解することであり、観て欲しい鑑賞者を呼び込むことでもあります。

　現在は、多くの文化施設において、オンラインでのチケット販売

が一般的になっていますので、このデータを活用すればデモグラフィック（性別、年齢などの人口動態データ）情報が、また来場者アンケートなどを用いればサイコグラフィック（動機や欲求など心理的データ）情報がある程度把握できると思いますので、どの施設においてもセグメンテーションの分割軸を検討することは可能になりました。

しかし、鑑賞者の生い立ちやライフスタイル、生活心理にまで踏み込んで鑑賞につながる動機や施設外で行っている行動に迫ることができれば、さらにセグメンテーションが有効になります。

市場の裾野を広げるため新たな鑑賞者の開拓が重要なテーマとなっている「クラシック音楽」や「オペラ」「バレエ」といった芸術ジャンルを想定して、新たな鑑賞者となるエントリー層を獲得し、コアファンにまで育成するというテーマで鑑賞者のセグメンテーションを考えてみましょう。

エントリー層は未来の鑑賞者です。そのため、鑑賞動機はいくら既存のデータを分析しても見つかりません。鑑賞動機となり得る要因は、自らの仮説で発見する必要があります。そこで、まず現在のコアファン層とは、どのような特性をもっているのか、その背景について、生い立ちや生活スタイル、さらには生活欲求などについての洞察を行います。現在コアファンである人たちも、かつてはエントリー層だった訳ですから、鑑賞のきっかけはどのようなことだったのか。どうしてそのきっかけに接する人と接しない人の差異が生まれたのかを考えます。そうした洞察をもとにエントリー層となり得る人の属性に関する仮説を立てる訳です。一例として、最終的にコアファンになり得るエントリー層の探索として、次のような仮説を考えてみました。

< "Danner""Learner"仮説 >

　「学生時代」「社会人時代」「老後の生活」という人生３ステージ制のライフプランはもはや終了し、ライフスタイルは多様化、知的好奇心の充足は学生だけのものではなくなっています。それに伴い余暇時間の使い方も「消費とレクレーション（娯楽）」から「自己投資とリ・クリエーション（再創造）」という大きな潮流の変化が見受けられます。

　スキルと知識の獲得に関して、生涯を通して新しいものを獲得し続けることが一般的になっています。そして、個人レベルでのレクレーションとリ・クリエーションの組み合わせや、自己改善や教養への投資に力を入れるカルチャー産業も発展しています。このような背景を受けて、芸術鑑賞の意義や鑑賞態度も変わってきているのではないかというのが、われわれが問題意識を持った発端です。

　リ・クリエーション（再創造）としての芸術鑑賞が活性化するということは、「芸術により自分自身を高めていこうとする欲求」が強まることを意味します。しかし、個人の持つ時間は有限です。芸術鑑賞およびその学習に時間を割くということは、必然的に、仕事オンリーから仕事と趣味の調和へと時間の使い方が変わることになります。つまり、生活全体のなかで趣味の時間を増やす。そのことが結果的に仕事にも良い影響を与える。そのため、より積極的に、より真剣に趣味に取り組む。こうした考えを持つ人が増えていることになります。

　こうした趣味に対する態度は「シリアス・レジャー」と言われます。「シリアス・レジャー」という用語は、カナダの余暇社会学者のロバート・ステビンスが1982年に提唱しました。ステビンスが発

見したのは、プロフェッショナルのようにその活動で生計を立ててはいませんが、一方で単なる遊びではすまないほどの時間や努力を注いでおり、本人が自らの活動を「シリアス」と表現していることです。(注2)

「シリアス」とは日本語でいえば、本気で、真剣に、熱心に、まじめに、ひたむきに打ち込んでいる状態を指す言葉です。趣味に真剣に打ち込むためには「続けることでしか得られない楽しみが味わえる」ことが必要です。趣味を熱心に続けたからこそ専門的な知識やスキルが得られるのです。そして、趣味を続ける過程ではコミュニティのなかで役職を得たり、趣味がアイデンティティの一部になっていたりすることもあります。つまり、趣味を続けることが余暇の域を超え生活の一部になるような場合もあり得るということです。

　伝統的にウィーンの音楽文化を支えてきた人たちは、ほぼ全員が本業（仕事）と道楽（副業）を持ち、それを使いこなしていたそうです。医者や弁護士など本業として職業を持ちながら音楽も演奏する。しかし単なる道楽としてではなくどちらも仕事として成立している。これこそ、まさに「シリアス・レジャー」そのものだといえます。

　多層的なウィーンの芸術文化の基盤はこうした文化的視野の広い人たちに支えられてきたのです。文化施設における芸術鑑賞も真剣に取り組めば、それは「続けることでしか得られない楽しみを味わうこと」が可能な「シリアス・レジャー」となり得ます。わが国でもこうした人たちは少なからず存在するのではないかと考えました。

(注2) 宮入恭平・杉山昂平編『「趣味に生きる」の文化論』ナカニシヤ出版（2021）p.vi

一方、わが国には、昔から趣味人を表す表現として「旦那」という言葉があります。「旦那」となるためには、経済だけでなく、自分の都合で時間を自由にできるという2つの条件が必須だとして、岩渕潤子は「旦那」の資格要件として以下のものを挙げています。（注3）

・本人が現実社会で築き得た何らかのステータス
・個人による芸術文化・趣味領域への消費、あるいは所得、資産の移し替えの能力
・日常の現実生活から文化、趣味といった別世界へののめり込み、入れ上げの覚悟
・のめり込んだ文化、趣味領域の特定の人、組織、活動へのパーソナルで濃密なこだわりや関係性の成立

　文化施設における芸術鑑賞のコアファン像と特性を考えると、この「旦那」の資格要件と重なることが多いことに驚きます。
　彼女の指摘は、2つの示唆を与えてくれます。

　①旦那的な資質や精神構造はすべての人に備わっているものではなく、後天的な生活環境の影響を大きく受ける。つまり、育った環境、特に、身近にロールモデルとなるような「旦那」がいたかいないかに大きく作用されるということ。
　ここから、コアな芸術ファンの心理を理解するには、親や祖父母などの鑑賞体験や実技体験まで遡る必要があるのではないか、つまり、単に現在の生活だけでなく、その人の生い立ちを知ることが重要なのではないかという推測が成り立ちます。バ

レエ公演では母娘の鑑賞者が多いことなどこの仮説が当てはまるような気がします。

②一種の「嗜み」として芸事に取り組むという意味で使われる「旦那芸」という言葉があります。芸事をやりたくてしかたない人が、持てるお金や時間、精力をつぎ込み自らの芸を創り上げるというものです。

　現代ではピアノ教室や親父バンド、カラオケなどということになるのかもしれません。こうした意識や行動は、確かにわが国における芸能成立の1つのバックボーンとなっていると思います。これが高じて「シリアス・レジャー」になっていくのではないでしょうか。「旦那芸」の「嗜み」という面に注目すると、稽古事への関心が、やがて芸術鑑賞やそれに付随する食やファッションにまで広がっていくのではないかという思いに至ります。能と茶道の関係などは、まさにこの仮説に当てはまると思います。

　こうした鑑賞態度は、すべてを仕事に結び付け、効率よくカタログ的に知識の取得を図ろうとする、いわゆる「ファスト教養」とは明らかに一線を画すものです。

　芸術鑑賞の動機は、キャストに関するものや、教養としてなどさまざまです。「シリアス・レジャー」と「旦那の嗜み」という概念の考察から、エントリー層の育成過程に関する仮説を立ててみました。その仮説とは図のように、鑑賞頻度は、過去における自身の実技体験や周囲における体験者の有無と相関関係にあるのではないかという仮説です。

(注3) 岩渕潤子編著『「旦那」と遊びと日本文化』PHP研究所（1996）p.160

わが国では、お茶やお花など子供の頃から何らかの習い事をして芸事を「嗜む」ことは暮らしのなかに定着しています。クラシック音楽やバレエなど明治時代以降に西洋から移入してきた舞台芸術においても、先の「旦那芸」と同じような意識や仕組みで社会に普及しているのだと思います。実は、「芸術」はさまざまな芸を嗜んでみようという"旦那"的な愛好家に支えられているのではないでしょうか。自分自身が子供の頃にそのジャンルを嗜んだことがある、あるいは周囲に熱心に稽古に励んでいた祖父母や両親、友人、知人がいる。こうした嗜み経験の深い人を"Danner"タイプと名付けました。少しでもこうした嗜み体験を持つ"Danner"予備軍は、何かきっかけがあれば、嗜み体験を持たない人に比べ、鑑賞体験の頻度が向上しやすいと考えました。

　一般的に、「芸術」の鑑賞頻度を上げるためには、リベラル・アーツとして「教養」の必要性に重きを置いたコミュニケーションを展開します。こうした教養としての芸術を求める人は"Learner"タイプと名付けました。"Learner"タイプの人は、まず「芸術」を知識として学び、鑑賞することで、あたかも何かを達成したと考える受け身の姿勢で自らの表現欲求を満たします。ですから、最終的に自分でもやってみようかというような関与意識が高まることも少なく、真のコアファンまで到達する人は少なくなると考えました。

　エントリー層をコアファンに育成しようと考える場合、どちらのアプローチも成立しますが、経験上、教養のための学習の訴求でコアファンを育成するのは容易なことではありません。一方、周囲のコアファンに生い立ちや鑑賞のきっかけを聞くと、ほとんどの人が子供の頃の実技体験や周囲に熱心な愛好者がいたことを話してくれます。こうしたことを考えると、エントリー層のコアファン化に

図3-4　"Danner""Learner"仮説によるターゲット・セグメンテーション

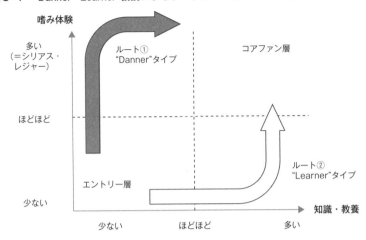

"Danner"タイプへのアプローチは有効なのではないかと思います。そうすると、例えば、熱心な鑑賞者である親世代に向けて「母娘のペア席」を訴求する、事前に実技を披露する「プレイベント」、デジタル通信技術を活用した「同時解説」、アマチュア団体の「グループ鑑賞」の誘致など、エントリー層全員の知識を高める施策よりも、まず少しでも嗜みのある"Danner"予備軍に接近することを考えた方が効率的な施策につながると思います。

　施設や対象とするジャンルの状況によりいろいろな仮説が考えられますが、「芸術」のマーケティングは、ターゲット・セグメンテーションの仮説（図3-4）を考えることから始まります。

販売部門の活動

　この節では、チケット販売に話を絞って実際の活動について説明します。

　チケットの販路は、自分たちの施設に一元化することが理想的です。販売とともにプロモーションも一体的に行えるようになるからです。自分たちの施設で販売することにより販売手数料を内部留保できますし、それをマーケティング原資として活用することもできます。

　しかし、それでは新規顧客（鑑賞者）の獲得も個々の公演の宣伝もすべて自分たちで行わねばならなくなります。潜在市場へのアプローチも含めて考えると、多くの顧客基盤をもつプレイガイドや熱烈なファンが所属する出演者のファンクラブなども重要な販路です。

　こうした考えから自主公演のマーケティング活動を行う際には、自主券売率を60〜80％程度に設定するのが良いと思います。こうして目指す目標を設定することは、自ずと具体的な計画や管理方法を考えることにつながりますし、各施策における販売目標の前提となります。

　チケットを早く売り切る努力は当然のことと思われるでしょうが、実は早く売り切れればいいというほど単純ではありません。チケット前売り開始日をチェックしてすぐ予約するような人は、すでに音楽や演劇ファン、出演者のファンとなっている鑑賞者です。毎回そういう熱心なファンだけで完売するような状況が続いていると、新しい鑑賞者は増えません。即日完売は、1つの公演だけをと

ってみれば成功にみえても長い目でみると必ずしも最善ではないのです。継続的に公演を続けていくためには、"満席"と同時に新規の観客を開拓することも大事なことなのです。

　文化のすそ野を広げるためには、多くの人に鑑賞してもらうことが必要です。あらゆる人が文化・芸術を享受できるようにするということをめざすのであれば、人数を集めることも大切ですが、さまざまな人が含まれているかどうかを問わなければなりません。既にファンになっている愛好者だけでなく、これまで鑑賞したことのなかった人にも来てもらえるような、鑑賞者の「のびしろ」を用意していくことも重要です。

　1つの事例として、今では冬の風物詩となり、コアなクラシックファンだけでなく多くの人々に親しまれるようになったクラシックコンサート「暮れの第九コンサート」についてコラムにまとめました。

コラム 1　冬の風物詩となった暮れの 「ベートーヴェン第九コンサート」

　毎年12月になると、どの街もクリスマスの装飾でいっぱいになります。このような風景は、1960年代以降百貨店の販売促進イベントとして急速に社会に普及したものです。当初はアメリカ進駐軍とキリスト教団による慈善活動であったものが、盛り場でのお祭り騒ぎになり、高度経済成長期とともに家庭行事として日本文化になっていきました。

　これは、本来のクリスマスが持っていた祝祭性、イベント性が姿を変え、商品の販売促進ツールとして年末商戦の演出に取り込

まれていった歴史です。さらに、クリスマスは「劇場化」をキーワードに街全体を巻き込む消費文化の創造をめざして、さまざまな分野に拡散していきました。

クラシック音楽業界も例外ではありません。「第九」が年末に演奏されるという習慣そのものは、1947年の日響（現Ｎ響）の演奏会が始まりとされているようですが、この「第九」に関しては、本場ヨーロッパよりも日本の方が「スタンダード化」が進んでいます。どのオーケストラも暮れの演奏会で「第九」を演奏するようになり、暮れのイベントとして定着しています。

通常のクラシック演奏会は、どうしても厳粛に集中的に聴くものだという価値観に支配されているため、初心者や専門知識をあまり持たない人にとっては敷居が高くなりがちです。いわば、「大衆」の「参加の愉しみ」が奪われています。「第九」のみがやさしい作品という訳ではないのですが、第四楽章のコーラスのもつ雰囲気やイメージをうまくクリスマスの祝意性や「劇場」化した街のイベントと結びつけたことで、「聴く」というよりも「参加する」という動機でライトユーザーを惹き付けました。「一万人の第九」などはわが国ならでの発想です。

「暮れの第九コンサート」は、「芸術」のマーケティングの観点でみると、季節の風物詩として「クリスマス」と絡めてライトユーザーの集客に成功した優れた事例です。しかしながら、今や暮れになるとどこでも「第九」が演奏されます。現在はどこの施設も多くの人が訪れる人気公演となっていますが、同じ時期に同じ演目の上演が集中しすぎると市場も飽和状態となってしまい、施設間での競合関係も激化するでしょう。これからは、他のオーケストラ、他の施設との差別化も考慮し、同じ「第九」でもどう違

いを出していくのかも合わせて考えるべきテーマだと思います。

1. 個人向けの販売活動

（1）オンライン販売

　最近では、チケットの購入もほとんどがオンラインを通じて行われるようになりましたので、オンラインでの販売体制の構築は文化施設にとって不可欠です。

　「芸術体験」を提供するためには、顧客接点を重視する必要があります。そのためには顧客行動の把握が欠かせません。自分たちでデータを管理しているからこそ、行動把握が可能となり、ニーズに合った販売活動が可能になります。理想的には販売システムを自分の施設で持つことが望ましいのですが、システム構築やメンテナンスには多大な費用がかかるだけでなく、専門スタッフも必要となるため、現実的には外部に業務委託することが多いと思います。

　しかし、その場合でも、セグメンテーションや情報発信などは自分たちで行うべきです。そして、そのためには基盤となる顧客情報の分析は欠かせません。ここでは、顧客情報の分析が可能な状態であるという前提で、鑑賞者との接点づくりの中心メディアであるメールマガジンの制作と運用について説明します。

　メールマガジン配信の理想的な状態は、許諾が得られた顧客に対して継続的に情報を供給することです。メールマガジン制作にあたっては、誰に何を伝えるかを考えた上で、ターゲットの選定、目標設定、配信のタイミングの決定などを行います。配信に関わる専門的な説明はここでは省略しますが、配信すべきメールマガジンに

は、3つあると考えており、具体的な内容をBunkamuraのケースで紹介します。

①施設全体のラインナップ・メールマガジン

定期的（多くの場合は月1回）に、主要な公演・展覧会などの情報をまとめて伝えるメールマガジンです。

定期的に毎回同様の形態でメッセージを伝えるこのメールは、顧客の長期的なロイヤルティを築く上でとても重要な施策ですが、情報の収集・確認が施設全体に及ぶため、スケジュール管理など制作部門や広報部門など各部門と緊密な連携を図ることが成功のカギを握っています。

「施設全体のラインナップ・メールマガジン」は進行スケジュールイメージ図のように、およそ配信の3週間前から準備が始まります。

・3週間前：各企画の情報公開＆販売スケジュール確認レイアウト作成

図3-5①　「施設全体のラインナップ・メールマガジン」の進行スケジュールイメージ

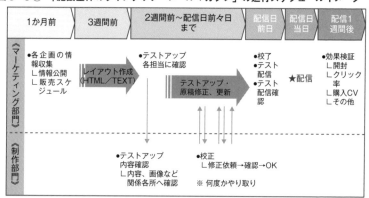

・2週間前：テストアップを制作部門に確認
・2週間前〜配信日前々日まで：テストアップ・原稿修正、更新
・配信前日：校了・テスト配信確認
・配信当日：配信確認
・配信1週間後：開封・クリック率、購入CV等の効果検証

　運営にあたっては、「配信日の設定（掲載漏れ等が出ないように）」「視覚的なわかりやすさ」に加えて「掲載枠の公平性（自主、貸館のバランス）」に注意する必要があります。

②公演・展覧会の個別お知らせメールマガジン

　文字通り各公演・展覧会など個別のお知らせを行うメールマガジンです。

　公演・展覧会のチケット販売は、「前売り」「一般」など販売スケジュールが複雑ですし、キャストや稽古風景など随時、さまざまな情報が開示されます。従って、顧客がメールマガジンに期待することは、関連性（特別に自分がいち早く情報を入手できるという速報性）と便益性（先行購入やプレゼント、特別なプログラムなどのメリット）ということになります。こうした「顧客価値」をいかにタイムリーに伝えることができるかがポイントです。

　「個別のお知らせメールマガジン」はタイムリーな情報提供を旨としますので、配信は不定期に随時行うことになります。およそ配信の2週間前からの準備となります。

・随時：対象企画の販売スケジュール、最新トピックスに伴う情報公開日を確認。制作部門と協議の上、配信日を決定
・配信2週間前：原稿作成・担当者校正
・配信1週間前：制作部門への確認、調整

図3-5②　公演・展覧会などの「個別お知らせメールマガジン」の進行スケジュールイメージ

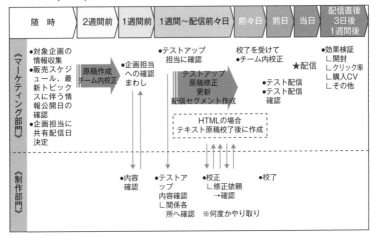

・配信１週間前〜配信前々日：テストアップ・原稿修正、更新、配信設定

・配信前々日：制作部門校了・担当者校正

・配信前日：テスト配信確認

・配信当日：配信確認

・配信直後、３日後、１週間後：開封・クリック率、購入CV等振り返り・効果検証

　運営にあたっては、「訴求内容とターゲットの一致」「開封率を上げるための標題作成」さらに制作部門が複数ジャンルに及ぶような場合は「ジャンル別の配信バランス、配信頻度」にも気を配る必要があります。

③ターゲット・セグメンテーションによるOne to Oneメールマガジン

　顧客属性や過去の行動履歴などによるセグメンテーションに基づき顧客の嗜好性にあった公演や展覧会をお薦めするメールマガジンです。

　顧客との1対1の緊密なコミュニケーションをめざしていることから「One to Oneメールマガジン」と呼んでいます。ここでは、データベースより、これまでにどんなプログラムを鑑賞したかを記録し、古典か前衛か、室内楽か交響楽か、また、好みの曜日、時間や座席といった嗜好性（タグ）に基づき次回の来場を推奨します。

　「One to Oneメールマガジン」は配信が不定期で随時になる点では「個別のお知らせメールマガジン」と同様ですが、独自の発想でターゲットを絞り込み、ターゲットに適した内容で特定セグメントに対して配信することが特徴です。スケジュール的には発案からおよそ2週間後の配信となります。

- ・随時：対象企画の配信内容・配信ターゲット・配信日を検討し、制作部門と共有（配信日・配信ターゲット等）
- ・配信2週間前：配信原稿作成・チーム内校正
- ・配信1週間前：制作部門への確認、調整
- ・配信1週間前〜配信前々日：テストアップ・原稿修正、更新／配信セグメント作成、配信数確認、微調整、チーム内でのセグメント確認等
- ・配信前々日：制作部門校了・チーム内校正
- ・配信前日：テスト配信確認
- ・配信当日：配信確認
- ・配信直後、3日後、1週間後：開封・クリック率、購入CV等

振り返り・効果検証

「One to Oneメールマガジン」は、独自の発想によるターゲット設定によるメールマガジンですので、運営にあたっては、なによりも「恒常化しないセグメント設定」が重要です。その他にも「訴求内容とターゲットの一致」「ターゲットに響く本文づくり」「開封率を上げるための標題作成」などに留意する必要があります。

すべてのメールマガジンに言えることですが、文面作成時には以下のことに充分留意して運用することが大切です。

・1人ではなく、多くの人の目でアイデアを練り上げる。

・校正もできるだけ多くの目を使って実施する。

・作る側の都合ではなく、受け取り側のほしい情報をわかりやすく魅力的な文面で作成する。

そして、これら3種類のメールマガジン施策は次のような関係性をもっています。

全体に対し一度に多くの作品をお知らせする「ラインナップ・メールマガジン」は面の拡大をめざす施策ですが、「One to Oneメールマガジン」は、線の施策です。線の施策というのは一つひとつの公演に来場した鑑賞者に、"次に行きたいな"と考えてもらえそうな公演を先回りして告知するからです。

また、「個別のお知らせメールマガジン」は、顧客の希望するジャンルに基づいて配信されるため安定的な成果は期待できますが、定期公演や再演など成熟した演目の場合は新たなニュース性が乏しくなるため追加的に得られる効果が減少します。

一方、「One to Oneメールマガジン」は、新しい状況や目標を通して新しいカテゴリーを生み出しマーケットの再構築や、創造をめざすものです。毎回高い成功率は望めませんが、成功すれば新たな

図3-5③ ターゲット・セグメンテーションによる「One to Oneメールマガジン」の進行スケジュールイメージ

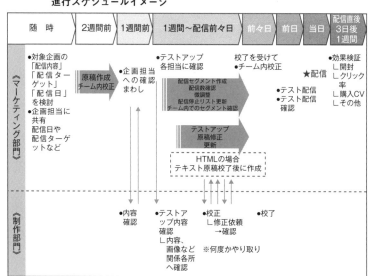

価値を獲得できます。

　「One to Oneメールマガジン」で成功したマーケットに対しては、個別メールマガジンで訴求を継続し、需要を確実なものにすることが重要です。

　各施策は、実施終了後に必ずレビューを実施し、施策ごとの効果を定量的に把握し、課題を含めて共有することが重要です。

　特に「One to Oneメールマガジン」の成功は、いかにして顧客のさまざまの行動の相関関係を発見し、その背後にある心理を推測する確率を上げられるかにかかっているため、分析力の向上には力を入れるべきです。分析力の向上に有効だと思われる東急エージェンシーが開発したツールについてコラムで紹介します。

データ分析で顧客の行動パターン分けおよび潜在見込顧客を発見するソリューション「Target Finder®」

【時代背景〜行動データで"ヒト"が見える時代】

　インターネット、スマートフォンの急速な普及以降、デジタル・デバイスはもはや欠かすことができない重要な生活インフラとなっています。そのようなデジタル・デバイスは利用者の生活利便性を著しく向上させたわけですが、一方でそのデバイスからさまざまな行動データが容易に得られるようになったことはマーケティング観点では実に大きな副産物ともいえます。

　従来、アンケート調査などによって消費者の意識・行動のデータを"集める"しかなかったものが、デジタル・デバイス等によって"集まる"データと化したわけです。

　そして"集まる"データ、つまり人々の実際の行動結果データを分析することで、人々のさまざまな行動傾向や予測が可能になっています。

【行動データから"ヒト"を明らかにする東急エージェンシーの「Target Finder®」】

　東急エージェンシーでは人々のそうした行動データをAIで分析、行動の"似た者同士"を作ったり、まだ買ったり利用していないが今後その可能性が高い"潜在見込顧客"を抽出することができる分析ソリューション「Target Finder®」を有しています。

　この「Target Finder®」は、国立研究開発法人　産業技術総合研究所が開発した「APOSTOOL」（現在「PLASMA」）を基に、2015年7月にリリース。これまでの顧客データ分析とは異なり、

Target Finder®におけるタイプ分け（クラスタ化）のメカニズム

	カテゴリ 顧客 ID	❷ クラスタ 1		クラスタ 2		❷ クラスタ 3		
		紳士服	スポーツ 用品	婦人雑貨	子供用品	婦人服	日用雑貨	食品
クラスタ 1	#001	1	2	0	0	0	0	0
	#004	2	1	1	0	0	0	0
	#007	0 ❶	2	0	1	0	1	0
クラスタ 2	#003	0	0	2	3	0	0	0
	#005	0	0	1	5	0	0	1
クラスタ 3	#002	0	0	0	4	1	2	2
	#006	0	0	0	0	1	1	3

❶似た物を購入する人同士が同じクラスタに分類される
　買物傾向が似ていれば、今買っていなくても今後買う可能性が高いと判断できる
　▢ 紳士服の新規客を獲得したい場合は # 007 の顧客が見込み顧客
❷同じ人に買われる商品カテゴリー同士が同じクラスタに分類される
　▢ 食品は婦人服や日用雑貨を買う人に買われる傾向が高いため、同じクラスタに

確率的潜在意味解析法（PLSA）という分析手法を用い、「顧客と商品」「顧客と利用サービス」「顧客と店舗」といった 2 軸で顧客の行動パターンによるタイプ分け（クラスタリング）を可能にしました。

「誰が」「何を」「どのくらい」というデータがありさえすれば、簡単操作でクラスタリング（行動パターンによるタイプ分け）が可能ですので、例えば購買データ（何を、どれくらい買ったか）、ウェブサイト閲覧データ（どのページを、どのくらい見たか）、メールマガジン反応データ（どの号・どの特集・どの記事が、どのくらいクリック、閲覧されたか）、さらには位置情報データ（どこに、どのくらい行っているか）など、さまざまな行動ログデータで分析が可能です。

そして、この分析のポイントは、特定個人の情報が不要であることです。分析において、この「誰」が、どこの／どんな／だれ

であるかという情報、つまり個人情報は不要で、個人を特定できないデータで分析を行います。

　そして何より、この分析の視座があくまで「何を」、「どれくらい」という行動パターンで特徴付けやタイプ分けを行うというものであって、必ずしも、性別・年齢などの属性情報は必要ないのです。その点では、属性を軸にした"固定観念的"なマーケティングを脱し、行動を軸にしたターゲティングへと進化させることを可能にしているといえるのです。

【文化・芸術のマーケティングでのデータ分析とその活用】
　以前は、担当者が一定の仮説を立てて、Excelなどを使ってクロス集計したりして分析・検証していましたが、データが膨大になった今、仮説を立てて自力でデータ処理をして目視で結果を見て、検証する、ということはほぼ不可能です。正確には、自身で想定した範囲内でしかデータを処理、検証することができない、といえるでしょう。それでは新しい発見は得られません。

　そういった意味で、事前に仮説を立てることもせず、AIを活用して膨大なデータの中で、人知ではうかがいしれないようなデータ相互の関係やつながりを見出すのは実に合理的ではないでしょうか。

　データマイニングでよく言われる「おむつとビール」のたとえ話*のように、膨大な行動データをAIで分析して、容易に行動の"似た者同士"を探すことができれば、マーケティングは格段に効率的になります。

　文化・芸術のマーケティングにおいても、公演・展覧会ごとに"売りやすい"＝"買ってくれそう"なお客さまが見つけられれば、

当然販売効率は高まるわけです。

　従来は、公演のジャンルや演者などに応じて、交響曲なら「60代男性」かな、バレエなら「40代女性」かな、歌舞伎役者Aなら「30代女性」かな、とターゲット層はデモグラフィック特性などで設定することが限界でした。

　また、同じジャンルの公演の購入履歴がある人にお知らせするといったように、リピート購入を前提としたアプローチがメインとなっていました。

　しかしこうした施策に終始していると販売効率が高いマーケティングはできず、過去に購入経験がない、新たなお客さまの獲得などの「創客」には結びつきません。

　では、"買ってくれそう" なお客さまをどうやって探し出すか。そこに「Target Finder®」などを使ったデータ分析に大きな可能性を感じます。

　過去のメールマガジンでの発信情報への反応の仕方（クリックや閲覧など）や、チケット購入の仕方（どういう公演のチケットを買ってきたか）などのデータを分析し、さまざまなジャンルの好みや嗜好性でお客さまをパターン分けします（そのパターン分けには、極論、デモグラフィック属性は不要です）。

　そして販売したい公演・展覧会に応じて、好みそうなお客さまのかたまり（クラスタ）を選定し、アプローチするわけです。好みに合いそうな公演を案内することで、これまでに購入経験のある方がリピートすることもあるでしょうし、まだ買ったことがないけれど好みに合うから初めて買ってくださるお客さま、つまり新規顧客の獲得にもつながる可能性が高まるわけです。

　このような分析と結果の活用は、顧客の行動データを基にして

いる点で、一般商材でのマーケティングと同様の方法であり、文化施設においてもこうしたアプローチは有効であろうと思います。

　　＊おむつとビールのたとえ話
　おむつとビールという一見関係のない異なるカテゴリーの商材が、実は同じ人物に購入されていて、かつそのような買い方をする人がある程度の数いたことがデータ分析から判明、ビールとおつまみのように、連想しやすい併買カテゴリーではないことから注目されました。
　消費者の購買行動は、時に作り手や売り手の狙いや想いとは異なることがあり、そうしたことを確認し、把握するためにデータ分析が重要である、ということを語る際によく例として引用されます。
　なお、おむつとビールの実際の購買シーンとしては、夫婦で週末に車を出して買い物に行き、かさばるものや重いものをまとめて買うというケースが代表的なようです。

【お客さま視点でのデータ分析の価値】

　行動データの分析により、嗜好性や好みに応じてお客さまのパターン分けをしてお客さまを理解すること。そして、好みに応じて情報発信や公演・展覧会のお知らせを出し分けることは、お客さまにとっても自分好みの有益な情報が届くという点でメリットであり、自分たちの文化施設への満足度を高められるはずです。また、施設側の視点で言えば、より購入確率の高いターゲットにアプローチできる、つまりマーケティングの命中精度を高められるということになるわけです。
　このように文化・芸術のマーケティングにおいても「Target Finder®」のようなソリューションを使い、顧客の理解を深め、販売効率の高い対象を見定めアプローチすることは、文化施設に

とって「文化を提供する」ための分析力を進化させ、鑑賞者のブランドロイヤルティ向上に結びつきます。それは、鑑賞者にとっても施設側にとっても有益なことだと思います。

（2）チケットカウンター、電話による販売

独自のチケット売り場は顧客との重要な接点です。「コンサートホールの感動を自宅までもってかえって頂く」「初めての方には情報量を多くし、きめ細やかな情報発信、鑑賞経験が豊富な方には1つのメリットに焦点を当てる」などお客さま一人ひとりの特性に合わせたきめ細かい対応はFace to Faceのコミュニケーションならではのものです。年々販売の主力はオンラインに移っていますが、カウンターや電話を販売チャネルとしてみると、特にシニア層が多いジャンルなどではまだまだ重要であり、マーケティングの情報源としても欠かせません。

2．グループセールス

続いてグループセールスの業務について説明します。

グループセールスというと、どうしても団体割引での価格訴求型のプッシュ販売というイメージが強いのですが、本来グループ鑑賞の目的は、社交的なもの、あるいは教育的なものです。

芸術鑑賞に慣れていなくても、友人と一緒ならその経験が心地よく、楽しいものだと考える人は多いものです。例えば、出身校の先輩が出演する、同郷の仲間が出演する、授業のテーマとの結びつきが強い、クリスマスにコミュニティでイベントをしたいなど、特定のジャンルやテーマ、出演者に関心を持つグループでの芸術鑑賞

は、劇場に集い、一体感を共有するという「Connect」の価値訴求には、理想的な手法となります。「非日常的な空間」を、たとえば恋人同士、夫婦、友だち同士などと「共有」することによって楽しさは倍増するものです。

　また、逆に、年配の独身者という大きな潜在市場を考えてみましょう。

　彼らが芸術鑑賞から足を遠ざけるのは、一緒に行く人がいないからという理由が多いようです。もし、会話や出会いの機会が提供できれば、年配の独身者にも、もっと文化施設に足を運んでもらえるかもしれません。同好の士が得られれば来館頻度も上がるのではないでしょうか。

　このように、グループセールスは、通常なら自分から積極的に来館しないフォロワーの人たちを惹きつけるのに適しているだけでなく、一度に多くの人々に対し文化施設に集うという芸術鑑賞の価値を伝える点でも有効です。そして、当然ながら一度に多くのチケット販売が可能になりますので、営業の観点でも非常に重要な販売手法です。

（1）グループセールスの業務枠組み

　グループセールスにおいては、特定の団体に所属する顧客（クレジットカード会員等の企業が保有する会員サービス、従業員の福利厚生等）に向けた限定的な特定市場を対象に営業活動を展開します。主な営業先となる団体は次のようなものが考えられます。

　・クレジットカード会社

　・生活協同組合

　・各種の鑑賞団体

・企業共済
・地区共済
・職員互助会
・百貨店などの「友の会」
・旅行会社

　営業の際には、一般的に「割引価格」「先行販売」「良席確約」のような条件付きの優待販売を前提としてチケットの販売を行います。

　グループセールスにあたっては、相手先の団体のニーズに対する事前調査や多数のチケット手配となるため個人販売とは異なる計画性、および頻繁なフォローアップなど運営には非常に手間ひまがかかります。ほとんどの場合、1年前に計画をたて、日々の営業がはじまり、相手先の決定タイミングに合わせた提案とフォローが求められます。そのために専門の部署が必要となります。

　図3−6にまとめたように、グループセールスの業務の流れと注意点は以下の通りです。

①対象公演の選定
　　リストをデータベース化するなど、外部の団体事情や会員特性を十分に理解し組織的に対応する。

②販売条件等の決定
　　作品内容を評価する手助けをし、競合との比較基準を提示する。

③試算・計画
　　販促経費の確保など堅実な収支計画を立てる。

④取引先への提案
　　取引先グループも個人の集まりなので、特性に合った柔軟な対

応を行う。

⑤媒体露出

　グループの会員に情報が伝わらなければ、公演が存在しないのと変わらないため、着実な情報提供ができるよう告知媒体を確保する。

⑥委託・買取販売

　予約時、来場時に必要な支援を行う。

⑦精算

⑧公演収支に反映

　精算が終了し、公演収支に反映されて一連の業務が終了する。

　グループセールスにおいては、団体価格としてチケット価格を割り引いて提供するのが一般的ですが、根拠のない割引販売は制作上の収支に関わる問題ですので、コラムとしてチケット価格の割引について簡単に触れておきます。

図3-6　グループセールス業務の流れ

①対象公演の選定
公演担当責任者判断により、グループセールス実施有無を検討。実施決定した公演について、同公演の票券担当者（チケット販売責任者）との調整
を経て、グループセールス担当者へ取り扱いを打診

②販売条件等の決定
公演担当責任者と票券担当者とグループセールス担当者間で販売条件等を協議し、決定する。

③試算・計画
グループセールス担当者により、展開規模、各斡旋先別の確保枚数、割引率等をベースに売上見込みを試算し、「押さえ表」と呼ばれる販売計画を策定。公演担当責任者、票券担当者の確認を経て確定。

④取引先への提案（取扱依頼）
グループセールス担当者により、提案先企業等への取扱依頼を書面で行う。
同時に公演情報、宣伝材料データ等を支給

⑤媒体露出（校正・確認）
取扱先が顧客に向けた販売を行う為の媒体（紙面やWEBサイト）について、校正確認を行う（取引先⇔グループセールス担当⇔公演担当者間）

⑥委託販売
週ごとに販売報告等の途中経過を確認しながら販売終了日まで販売を行う
　　　　　買取販売
買取分を請求～支払～終了
（学校団体等の芸術鑑賞はこれにあたる）

⑦委託販売の精算
販売期間終了に伴い、販売枚数の報告に応じて請求～入金～取引終了

⑧精算～公演収支に反映
グループセールス担当者より各取引先の販売枚数を報告し、売れ残りのチケット在庫等があった場合、返券処理等行い、精算。公演担当者は公演収支を確定する。

コラム 3 　チケット価格の割引について

　舞台芸術の場合、多くの文化施設の関心事は、できるだけ多く
の鑑賞者を集客したいということだと思います。そのためチケッ
ト価格はなるべく抑え、鑑賞したいと思うすべての人が実際に購
入できる価格帯で価格設定をすることになります。しかし、問題
は、その価格を決めるための明確な基準が存在しないことです。
例えば、鑑賞者に演技を披露するアーティストが、その域にたど
り着くまでに長年にわたり積み上げてきた努力を考えると、芸術
作品の原価を明確にするということは難しいことです。そして、
専用劇場でない限り、同じ施設でさまざまな団体の舞台が上演さ
れます。そのため、舞台の質にかかわらず概ねチケット価格は平
準化します。このように多くの公演では、同一ジャンル内での相
場という相対的な市場の状況に合わせてチケット価格設定がされ
ています。そのため、鑑賞者からすると、チケット価格で価値を
判断することは難しくなります。チケット価格の問題は、本質的
には「市場価値」に見合う価格設定かどうか、つまり本当に鑑賞
者の目線で考えた価格設定かどうかということになります。

　鑑賞者が考えるチケット価格は、作品の質、出演者および施設
などから判断されると思いますが、実際には鑑賞の際、鑑賞者は
チケット以外にも、交通費や飲食費、場合によっては宿泊費など
多くの費用がかかります。

　その他にも「精神的コスト」というものがあります。これは鑑
賞の経験が少ないため、その体験を楽しめるかどうかわからな
い、あるいは客席にどのような人がいるかわからないといった不

安や、騒々しい場所にあるので行きたくない、急な仕事が入るかもしれないといった不確定な要素を意味します。

　重要なことは、鑑賞者が「精神的コスト」も含めてチケット価格に見合う価値を得ていると満足してもらえるかということです。あまりにチケット価格が低すぎると充分な経験が得られないのではと鑑賞者に疑念を抱かせることもあり得ます。

　特にエントリー層にとっては「精神的コスト」は無視できません。だからこそ、敷居を下げる意味でグループセールスの意義があります。エントリー層の誘引のために手頃な価格設定と気軽に訪れやすい雰囲気づくりが重要なのです。

　鑑賞者にとってのチケットの価値は相対的なものなので、鑑賞経験により納得するチケット価格も異なります。エントリー層が高額なチケットには手が出ないのは当然ですが、そもそもその公演に対する関心が薄ければチケットの価値への理解も浅く、やみくもに割引料金を設定しても「精神的コスト」には見合いません。そのため、多くの場合、単なる割引チケットはすでに鑑賞経験の豊富な既存鑑賞者は反応しますが、エントリー層を呼び込むことにはつながりません。

　グループセールスにおいてもチケットの販売価格を考える時は、買うつもりはあるけれども何らかの理由で買うことを躊躇しているエントリー層を対象にしなければいけません。彼らの「精神的コスト」の軽減がテーマなのですから、必ずしも価格だけの問題ではないのです。「買うつもりのない人」まで含めてとにかく割引のお得感のみで訴求することは避けなければいけません。そうすることが、できるだけ多くの鑑賞者に楽しんでもらうという本来の目的の達成につながると思います。

またグループ鑑賞は、将来の顧客育成、話題の拡散などマーケティング活動全体にも大きな影響をもっています。そのため、"集う"という「Connect」の価値に加えて自分たちの施設ならではの付加価値づくりも大切です。

広報部門

この節では、広報部門の業務について説明します。

1．広告と広報

　広報部門の業務は、個別の公演や展覧会などの宣伝活動といわゆるコーポレート・コミュニケーション、文化施設のブランディングということになります。個別の宣伝活動は、制作業務の一環で行われることも多いと思いますが、公演の宣伝とブランディングのための広報は異なります。

　広告は本来説得することが目的ですから、「公演の宣伝」の目的は、その公演のチケット購入を促すことです。一方、「ブランディングのための広報」は、人々が共通して持つ、施設に対する好意的なイメージや態度を形成することです。そのため、個人的な行動でありながら、イメージを共有することで多くの人々を1つにするという点で社会的な活動という考え方も成り立ちます。こう考えると、両者の違いは、「公演の宣伝」の課題が「購買行動」を喚起することであるのに対し、「ブランディングのための広報」の主な課題は、施設ブランドや作品への「好意」を形成し、「態度」を変えることであるということになります。

　広報の視点で考えると例えば「○○指揮の、○○を聴きたい」からチケットを買うという行動だけでなく、「○○ホールに行こう、○○さんと一緒に観よう」といった施設へのロイヤルティ向上もめざす必要があります。そのためには施設そのものを文化の発信基地

としてアピールすることが重要です。「○○ホールに行けば世界屈指のレベルの舞台を見ることができる」というイメージや認識が浸透していれば、自ずと国内外から多くの人が地域や街に集まってきます。そのために施設のブランド力を上げる広報活動が必要なのです。

（1）顧客の声を聴く

　広報活動は、顧客の声を聴くことからすべてが始まります。顧客の気を惹きそうな多数の新しいものをやみくもに提案するよりも、何が顧客にとって魅力的なのかを学ぶために顧客に耳を傾けることが重要です。

　顧客の声を聴くために、ソーシャルリスニングというマーケティング手法があります。無数のソーシャルメディアの投稿から自分たちの施設名や公演名を抽出し、耳を傾けて聴くことで、評判を調べる調査・分析のことです。

　さまざまな分析ツールを活用すれば、鑑賞者の行動データが取得できるようになりました。しかし、鑑賞者の内面は、もっと複雑で、もっと移り気です。そして、SNSの普及により自分の意見を気軽に発信できるようになっています。だからこそ、ソーシャルメディアでの評判は、時として来館し鑑賞したリアルな鑑賞者以上に影響力を持つ場合があります。「私」が同様の見知らぬ「私」とつながり「私たち」となり、「私たち」の価値に沿った考えや理念の提供を文化施設にも求めるようになります。ソーシャルメディアがこうした傾向を加速させるのです。芸術鑑賞も「個人的な行為」のように見えて、実は「みんなからの視線」が織り込まれた行為でもあるのです。ますますこれからは、来館した鑑賞者だけでなく、ソー

シャルメディア上での声に耳を傾ける必要があります。

（2）ブランド訴求のための広報活動の実際

　広報部門では、主にプレスリリースの発信により、施設全体や作品を人々のニーズや関心と結びつけ、結果的に施設のブランド力向上をめざしますが、実施には、どのような活動を行う必要があるのか、発信媒体別に概要を紹介します。

・プレスリリース

　多くの人に施設の最新情報を知ってもらうために主要メディア、ライターの方々などに発信します。以前は印刷物やファクシミリでの配布でしたが、現在はオンライン化しメールでの配信が多いと思います。

・公式ホームページ

　いうまでもなく施設に関するあらゆる情報のプラットフォームになります。文化施設ですので、公演や展覧会情報を主に構成されていることが多いと思いますが、施設の思想や理念などはコーポレートサイトとして独立した構成とすることが望ましいと思います。

・情報誌の発行

　広報部門が発行する情報誌は、施設のブランディングを担う主力媒体となります。以前は印刷物が多かったと思いますが、近年ではオンラインマガジンとしてホームページでの公開やメールで配信されることが増えています。

・交通媒体

　カスタマー・ジャーニーを考えると、特に都市部においては情報発信の手段として交通広告は有効です。文化施設の場合、来館者の行動圏は立地の制約を大きく受けますので、来館者の行動圏に密着

した交通広告は非常に効率の良い媒体です。通勤や通学など日々接する駅や電車、バスなどの車内での訴求は公演企画の告知に留まらず、施設のブランディングにも大きな効力を発揮します。

交通媒体の施設ブランディングへの活用事例としてBunkamuraならではの特色のある媒体を2つ紹介します。

「Bunkamura号」

東急東横線、田園都市線に各1編成ずつ運行。車内のすべての広告枠を使ってBunkamuraからのお知らせやブランディングのための訴求を行っています。

「Bunkamuraお知らせボード」

渋谷駅地下通路に設置されているBunkamuraからのお知らせ専用の告知スペースです。公演・企画などのお知らせだけでなく、ブランディングに活用しています。

Bunkamura号

Bunkamuraお知らせボード

・ソーシャルメディア

オンラインマガジンでの情報発信は、事前にリスト化された人にしか配信できませんので、新たな顧客への情報発信ができません。また、定期的な発行になるため、タイムリーな発信に対応できません。そこで、近年はソーシャルメディアでの積極的な情報発信が求

められています。

　ソーシャルメディア利用者の利用動機は、大きく「友人縁」形成志向のものと「趣味縁」形成志向のものに大別できます。

・「友人縁」形成志向
　学生時代の同級生を中心とした友人関係の維持を目的としたソーシャルメディアの利用。

・「趣味縁」形成志向
　趣味や興味のある事項に関する情報を集めたり、同好の士を見つけるためにソーシャルメディアを利用。

　文化施設の広報活用の場合は、「趣味縁」形成志向での利用者が対象になります。ソーシャルメディア全般の媒体特性に関しては、数多くの解説書が存在しますので、ここでは、「趣味縁」での情報拡散に利用される代表的メディアの1つである「X（旧Twitter）」を例に運用と注意事項について説明します。

　広報活用の際は、自分たちの施設と利用者の関係性を考え図3−7のように「X」の利用者をいくつかの層に分け、各層へのアプローチを考えます。潜在層・顕在層の特性を考慮した上で、すでに施設を利用している顕在層に関してもクチコミを創出できるような企画を考え、公式アカウントを運用していきます。

　実際のアカウント運用に関する業務の流れは、図3−8の通りですが、文化施設においては、特に社外確認（権利関係・事実確認）が必要なものが多いため、投稿日の10日から1週間前には作成を始める必要があります。おおよその投稿の流れは以下の通りです。

①遅くとも10日前（基本は月末に翌1か月の投稿予定を立てておくことが望ましい）には投稿内容と投稿日の検討

②素材集め（画像データ、テキスト手配）と作成

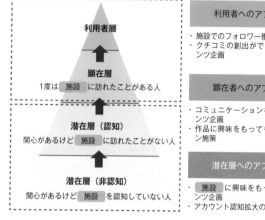

図3-7　文化施設における「X」アカウントの運用イメージ

利用者層

顕在層

1度は 施設 に訪れたことがある人

潜在層（認知）

関心があるけど 施設 に訪れたことがない人

潜在層（非認知）

関心があるけど 施設 を認知していない人

利用者へのアプローチ

・施設でのフォロワー獲得施策
・クチコミの創出ができるようなコンテンツ企画

顕在者へのアプローチ

・コミュニケーションを重視したコンテンツ企画
・作品に興味をもってもらうキャンペーン施策

潜在層へのアプローチ

・ 施設 に興味をもってもらうコンテンツ企画
・アカウント認知拡大のための広告配信

自分たちの施設ファンの増加

出典：株式会社コムニコ

③投稿日２日前までに投稿プレビューでの担当者確認（修正と再校正）

④投稿日前日にあらかじめ決めてある承認フローを経て投稿セット

⑤投稿

　ソーシャルメディアは、投稿後にはフォロワー増減、露出・反応数の確認などさまざまな数値データを得ることができますので、必ず効果検証を行うことが重要です。定期的にアカウント全体の状況を部門内で確認、共有することも重要です。

　また、運用の際には以下の事項にも充分な注意を払う必要があります。

＜公式アカウント運用に関する心構え＞

・ソーシャルメディアはあらゆる背景や事情を持つ不特定多数のユーザーが閲覧していることを意識すること

図3-8 「X」投稿の業務の流れ

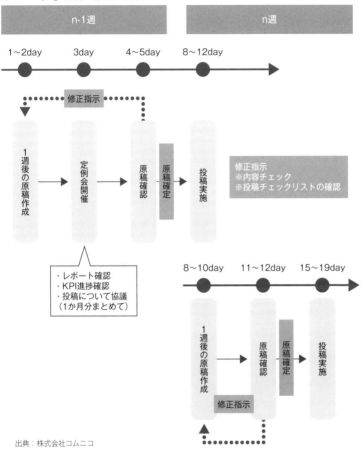

出典：株式会社コムニコ

・ソーシャルメディアにおける自施設からの情報発信が、ユーザーおよび社会に対して影響を持つことを認識すること

・ネットワーク上に一度公開した情報は、完全に削除できないことを理解すること

・公式アカウントとして運用を行い、施設の意思に反する運用担

当者の個人的な意見を投稿に反映しないこと

＜発信するコンテンツについて＞

・差別や偏見のない投稿を行うこと

・個人のプライバシーを侵害する投稿は行わないこと

・政治・宗教など異論が出たり、扇動的になりうる話題、他のユーザーが見て気分を害するような投稿は行わないこと

・伝聞や推測でのコンテンツ作成は行わず、信頼できる情報源で確認した正確な情報を配信すること

・自施設・関連企業・取引先に関わるあらゆる機密情報を許可なく配信しないこと

・著作権や肖像権など、第三者の権利を侵害するコンテンツは使用しないこと

・個人情報に関わる情報は配信しないこと

＜コミュニケーションについて＞

・自施設の代表として、誠実な態度でユーザーと向き合うこと

・批判や一方的なクレームに対しても感情的にならず、冷静かつ真摯に対応すること

この他にも、炎上やトラブルへの対応マニュアルなども事前に作成しておいた方が良いと思います。

こうしたさまざまな媒体を使ったブランディングの他にも、例えば、芸術の秋にふさわしくさまざまなジャンルの芸術鑑賞へのきっかけを提案するなど文化施設ならではの多面的なプロモーションの立案・実施も広報部門の業務となります。

（3）これからの広報

従来は、「公演」「展覧会」の評価は、実際に来館した鑑賞者だけ

が行うものでした。しかし、今日では、ソーシャルメディアの普及により、作品や施設の情報は「文化」や「芸術」に興味がない人も含め非常に多くの人の目に晒されています。文化施設に対する評価も、好意的なものだけではなく、批判的なものも含め鑑賞者以外にも広く拡散します。拡散していく過程では、感情の機微や行間のような部分は排除されストレートな表現が多くなり、受け取る側も「わかりにくい」ものを理解しようとする感覚が失われていきます。つまり、情報源の信頼性よりも、平易な表現で露出量の多い情報の影響力がより大きくなるということです。

　こうしたメディア環境を考えると、これからの広報活動では、とりわけ「レピュテーション（評判）・マネジメント」が重要になります。

　多くの人が「仕事用」「プライベート用」などと個人アカウントを使い分け利用するなどオンライン上のコミュニケーション空間で複数のアイデンティティを使い分けることは、もはや当たり前となっています。文化施設の広報においても「アイデンティティ・マネジメント」という考え方が重要になってきます。

　そのためには、文化施設が何をめざしているのか、何のために存在しているのか、どうすれば地域の"賑わい"づくりや社会的課題の解決に貢献できるのか、自らのアイデンティティを常に意識して発信する「パーパス・ブランディング」（※次項参照）を実践し続けなければいけません。

　バブル経済以前のわが国には、経済大国としての成長や進化を世の中の誰もが信じられるいわば「大きな物語」が存在していました。しかし、現代は先行きへの不透明感ばかりが目立ち、未来に向けた物語を思い浮かべることが難しくなっています。このような時

代だからこそ、人は物語を求めるのではないでしょうか。「文化」や「芸術」のなかに自分の物語を見出そうとするのではないでしょうか。テクノロジーはコピーできても、こうした物語は決してコピーできないものです。だからこそ、文化施設はこれからの物語をつくるという思いをアイデンティティとし、広報すべきだと思います。

＊パーパス・ブランディングとは

　自社がどのように社会的な課題解決に貢献できるのかを明確にすることで、社内外のステークホルダーから多くの共感や信頼を獲得し、広く世の中に存在意義を認知してもらうことをめざすブランディング手法です。

　従来のブランディングは、主として競合する企業や商品との差別化を目的に好意的なイメージ醸成をめざしましたが、「パーパス・ブランディング」においては、何のために存在し、何をめざしているのかというパーパス（目的、理念）の浸透を重視します。サステナビリティの重要性が提唱される今日、特に文化施設のような公共性の高い領域においては真剣に取り組むべきテーマです。

2．さらなる文化情報の発信

　「パーパス・ブランディング」のためには、次世代を見据えた新しい情報発信が必要です。これからの文化情報発信がめざすべき方向性について考えてみましょう。

　前述のように「文化としての芸術」は、「創る」「鑑賞する」「語る」のトライアングルがバランスよく保たれてこそ育まれるものです。このうち「語る」の部分については、多くの施設においても、なかなか手が回らず十分な情報やサービスを提供できていないのではないでしょうか。地域住民への文化情報提供や、どんな階層の人

も気軽に芸術を楽しめ、お互いに語り合う場をつくることは、次世代への文化の継承や、未来に向けた物語の創作などにつながります。だからこそ、文化施設は、次代を担うべき若者や子供たちにとっての「文化」を再構築し、情報発信する必要があると思います。

　そのためには、「文化」をより開かれたものにしなければいけません。年齢や性別、出身地、障害やライフスタイルなどにかかわらず、あらゆる人にとって「文化」を生活のなかでもっと身近なものにする。大切なのは「アーツ・フォー・オール＝あらゆる人々に芸術を」という視点です。

　こうした視点でこれからの文化施設のあり方を見つめ直し、強みである「場（空間）」「キャスト・作品」を基盤としながらも、これからは、近隣居住者だけでなく、例えば、配信などで全国さらには海外とのつながりを広げ、深めていくことが求められます。

　そうすることが、より立体的な文化・芸術を生み出し、鑑賞者や協賛・支援企業の期待に応えていくことにつながるのだと思います。

　これからの文化情報発信のキーワードを2つ挙げます。

（1）脱施設の視点

　文化施設自体は、「マスメディア」ではなく「ミニメディア」です。どうしてもその施設が存在する地域のことや、施設に来館する鑑賞者のことのみに注目しがちです。しかし、「文化を提供する」ためには、もっと広い地域に目を向け関係を築いていく必要があります。本来は働いている人たちや小さな子供のいる家庭などにこそ「芸術」は届くべきですが、現実にはその多数に届いていません。そういう人たちにももっと「芸術」を届けたいと思います。もっと

「芸術」を身近に感じてもらいたいと思います。

　今後はこうした「脱施設」の活動を加速させ、地域振興への貢献や、次世代の鑑賞者の育成などに取り組んでいく必要があります。

（2）バーチャル空間の可能性

　人々を「芸術」に連れてくるのではなく、「芸術」を人々のところに連れていくことで生活のなかでもっと「芸術」を身近なものにすべきではないでしょうか。現在のような不安定な時代状況だからこそ、人々に明るさを提供できる「文化」や「芸術」の力は重要です。文化施設の力はもっと多くの地域、場面で広く活性できるはずです。

　インターネットによる配信やメタバースに代表されるバーチャル空間は、その可能性のひとつです。バーチャル空間であれば、いつでも、どこでも気軽に「芸術」に触れることが可能です。本来のリアル空間とバーチャル空間を組み合わせることで、鑑賞体験を妨げるさまざまな障壁を取り払い、「芸術の日常化」を促進する施策に取り組んでいくべきだと思います。

　かつて建築家のルートヴィヒ・ミース・ファン・デル・ローエが「ユニバーサル・スペース」という空間概念を提唱しました。彼のいう「ユニバーサル・スペース」とは、どのような用途にも適用できるという強みを持つ特別な用途に特化しない空間づくりという意味です。「芸術の日常化」のために文化施設がめざすのは、まさに「文化のユニバーサル・スペース」だと思います。

第 4 章

その先の"満足"へ。

～これからの文化施設のマーケティング～

本来、舞台実演芸術は、文化施設に集う人々の「密集したコミュニティの熱狂」を売り物にしてきました。しかし、近年はデジタルメディアの進歩に伴う放送、配信などの普及により、公演、コンサートは文化施設の外に飛び出し、時と場所を選ばず多くの人々に鑑賞してもらうことができるようになりました。言い換えれば「文化・芸術が消費される」時代になったともいえます。こうした鑑賞を拡散するさまざまなメディアの普及は、その基盤となるライブ（生）の音楽、「演劇」「オペラ」「バレエ」さらには、美術、デザインなどへの需要を一層高めます。また、メディアを通じた鑑賞者が増えれば増えるほど「オリジナル」であるライブ（生）を直接鑑賞したいと思う人も増えるでしょうし、自分でも楽器を演奏したり、ダンスを踊ったり、絵画を描いたりする人々も増えることでしょう。こうしたデジタル技術の普及がもたらす環境変化は、文化・芸術産業にも大きな恩恵を与え、文化・芸術産業は発展していくはずです。

　しかし、現状はどうでしょうか。コンサートや公演は、延べ回数で見れば極めて多くの回数が毎日開催されています。しかし、その割には、多くの施設において事業の収支は厳しく、大半のアーティストの収入も増えてはおりません。産業としてみれば文化・芸術活動の担い手の多くは赤字が続いているのではないでしょうか。

　「市場の環境変化」と「文化・芸術の現状」はいまだに合致していません。それどころか、このまま放置しておくと文化施設が担うべき「パブリックな文化」は崩壊に向かってゆるやかな下降線をたどり続けるかもしれません。そこで、最終章では、これから文化施設が担うべき役割と、そのなかでマーケティング活動はどのような指針を持てば良いのかということについて考えてみます。

　芸術鑑賞を個人的行為の側面のみで捉えるのであれば、デジタルメディアを通じた間接的な鑑賞の拡がりは、鑑賞から得られる「高揚感、ワクワク感」などの娯楽性や「発見する喜び」という価値が拡がることなので歓迎すべきことです。文化施設としても、そうした拡がりに対していかにして自分たちのビジネスにしていけるかということを考えれば良いのかもしれません。

　しかし、「芸術」のもつ社会的便益という視点から考えるとどうでしょうか。芸術鑑賞の社会的意義は、「パブリックな文化」を支える思考や対話を育むことにあります。人はみな1人で生きている訳ではなく、他者との対話から思考し、共感し、「文化」を築きます。永久に「文化」を捨てることはできないのですから、芸術鑑賞が持つ「集う」「共感する」「語る」という要素は社会的便益として重要な要素です。

　マスメディアが以前のように社会的なネットワークとしての役割を果たせなくなり、インターネットを通じた個人レベルでのネットワークが広がるなかで、「パブリックな語り合いの場」の必要性はむしろ高まっています。にもかかわらず、デジタルメディアの発展に伴うメディア鑑賞が拡がることで、「芸術」の社会的便益が損なわれるのであれば、鑑賞形態の変容は個人的行為だけの問題ではなくなります。

　これからの文化施設は「文化・芸術に触れる機会を創り出すことで、地域文化を振興する」という本来の目的を再認識し、「文化・芸術に触れる鑑賞機会を創り出すこと」だけでなく「地域文化を振興し、語り合いに場を提供する」ことにまで役割を広げた考えが求められます。そして、その広げた考えを事業として継続して展開するためのマーケティング計画が必要になると思います。

文化施設が語り合いの場づくりとして、これから重視すべきテーマは何でしょうか。

　起業家、作家、学者として社会とテクノロジーの変革に取り組む伊藤穰一はデジタルとアートの関係について次のように述べています。（注１）

　　複製可能なデジタルアートには、そもそも"オリジナルとコピー"という概念がない。仮に作者が100個のコピーをつくって売ったら、100人が同じ作品を持つことになる。そう考えると、デジタルとアートとは、その作品がオリジナルなのではなく、"その作品に触れるという個々の経験"がオリジナルなのであり、その意味でデジタルアートは多分にパフォーマティブなものだと思う。

　あらゆる場面でデジタル化が進む今日、作品を「オリジナル」か「コピー」という軸で判断することは意味がなく、「経験のオリジナリティ」にこそ意味がある、という指摘です。

　「経験」という観点では、時間軸が大きな意味を持ちます。情報は日々留まることなくアップデートされるので、コンテンポラリーな「芸術」は時代によって常に評価が変化する性質を宿命的に背負っています。そして、時の流れとともに、その多くは淘汰されてしまいます。しかし、そのなかで時代を超えてしっかりと残り、継承されるものがあります。これは最先端を行くフローな「芸術」に対し、古典、スタンダードなどと呼ばれるストックな「芸術」です。こうしたストックな「芸術」は、いずれ伝統となり「文化」として広く世の中に定着していきます。

　合理性や効率性を重んじられる今日、多くの場面で時間短縮が求められます。しかし、ベートーヴェンの音楽は、いつの時代も、どの演者によっても演奏時間はほとんど変わりません。そこには普遍的な「絶対時間」が流れています。世の中がどれだけデジタル化されても、「芸術」には不変の時間があります。

　これからの文化施設のマーケティングが重視すべきキーワードは「普遍性」だと思います。つまり、芸術鑑賞とその後の語り合いによって作られる「思い出」という経験がもつお金に換算できない長期的価値を生み出すことです。それが文化施設の未来につながる時代を超えた価値を高めるのではないでしょうか。

　最先端のフローの「芸術」がストックされて伝統となり、「文化」となるには長い時間がかかります。しかし、文化施設としての役割を果たすためには、さまざまな生活背景を持つ人たちの交流、共生ということを念頭において「普遍的な価値観」を育むことをめざして事業を組み立てていくことが大切です。

　変化が速く、激しい時代だからこそ「普遍性」を基軸にマーケティングを展開すべきです。「普遍性」をテーマに、以下の3つの観点からこれからのマーケティング活動の指針を考えてみましょう。

　・「鑑賞の場」としてのマーケティングについては、前章までに
　　説明してきましたので、ここでは、「ファスト化する鑑賞スタ
　　イルへの対応」というテーマで考察します。

　・「育成の場」としてのマーケティングについては、「文化事業と
　　学校教育の融合」というテーマで考えます。

（注1）伊藤穰一著『テクノロジーが予測する未来』SBクリエイティブ（2022）p.112-113

・「交流の場」としてのマーケティングについては、「文化施設と地域との関わり」としてアウトリーチ活動などを中心に考えます。

第1節　ファスト化する鑑賞スタイルへの対応

　わが国における「芸術」と社会の接点を振り返ると、それは「教養としての芸術」の歴史と捉えることができます。戦後、一部の上流階級だけのものであった「芸術」が多くの中流家庭の日常にも浸透し始めました。多くの家庭で子供にピアノやヴァイオリン、バレエを習わせるようになり、発表会なども盛大に行われるようになりました。当時その根底ある意識は上流階級への憧れだったと思います。

　しかし1970年代以降、「芸術」への社会的接点は増えているにもかかわらず、こうした上流階級への憧れは次第に薄れ、自ら芸術活動を行おうとする行動は減退していきます。このような芸術活動は広く多くの人が親しむエンタテインメントとは一線を画した「ハイカルチャー」としてごく一部の人々の高尚な趣味という位置づけに追いやられるようになりました。こうした傾向は現在まで続いています。こうした状況化では、文化施設も多くの人からみれば、自分と距離の遠いものにみえてしまいます。伝統芸能をはじめ、クラシック音楽やバレエ、オペラなどのジャンルが同様に抱えている課題です。

　つまり、歴史的過程から「教養としての芸術」というレッテルのイメージが強すぎ、多くの人のなかでエンタテインメントとして認識されていません。そのため、新たな鑑賞者を獲得することが困難な状況になっています。

　にもかかわらず、文化施設に携わる人のなかには、往々にして「娯楽は努力しなくても簡単に手に入るが、芸術の場合はある程度

の努力を必要とする。しかし、それだけ得られるものは大きい。そのため、芸術というものは今すぐ役に立つかどうかではなく、人生を豊かにするためにもっと長いスパンで考えるべきもの」という「教養としての芸術」の意義をことさら強く主張する人も存在します。

　本来は「娯楽」と「教養」のバランスのとれた情報提供が重要であり、どちらをとるかという問題ではないはずです。もはや「教養」としての意義や重要性を強調する「芸術エリート主義」のみでは多くの人々を「芸術」に惹きつけることはできなくなっています。「教養」としての意義や重要性の側面が強調され過ぎると、芸術を鑑賞する際に、「味わう」よりも「知識を得る」ことが目的となってしまい、かえって鑑賞を誘うための間口を狭めることになってしまうという危惧があります。この点について、ライターでブロガーのレジーは、次のように述べています。（注２）

　　変化が大きい時代で「脱落」しないために教養を学ばなければならない。そんなスタンスに立った場合、「人生を豊かにする教養」を悠長に学んでいる暇はない。「教養が足りないとビジネスシーンで使えない」「使えない、つまりは稼げない」という恐怖に苛まれる中で、教養に触れる際にもビジネスにとって重要な「スピード感」「コスパ」が重視されるようになる。そういったビジネスパーソンのニーズと課題に対して過不足なくミートしているのがファスト教養、という構図である。

　このように「教養」の概念自体がファスト化している今日、過度に「教養としての芸術」の側面を強調すると、芸術鑑賞もファスト

化する可能性があります。

　「ファスト教養」の世界では「目的」から始まる学び＝「パーパス・ベース・ラーニング」が重視されます。目的が先にあって、そのために何が必要かと考える合理的な思考です。常に判断基準は、「教養ある自分」になるにはどうすべきか、ということになります。そのため、芸術鑑賞の目的が「知識の取得」に特定されてしまうと、鑑賞態度もビジネスの役に立つかどうかが判断基準となってしまい、いかにして効率良く知識を得るかという行動になります。

　効率良く知識を得るためには、インターネット上で多くの人が良い作品と認めている作品に関心が集中します。それは多くの人が評価している作品はチェックしておいた方が良いという同調圧力によるものですが、本人にとっても同意すれば仲間内でのコミュニケーションも活性化しますので好都合です。

　こうした状況は「芸術」の鑑賞姿勢にも大きな影響を与えます。話題だからキャッチアップしておきたいという「情報収集」目的の鑑賞が増え、そこでは作品というより１つの情報として扱われるため、鑑賞態度も「作品を鑑賞する」というより「情報を消費する」ということになります。こうした傾向は、作品数が多く、鑑賞行動への敷居が比較的低い「映画」では顕著に見られます。

　例えば、ライター、コラムニスト、編集者である稲田豊史が著した『映画を早送りで観る人たち』によると、映画本編すべてを1.5倍速で視聴したり、会話がなかったり、動きが少なかったりするシーンを躊躇なく10秒ずつ飛ばして視聴する人は、それほど珍しい存在ではなくなっているようです。20代全体の倍速視聴経験者は49.1％にのぼるそうです。こうした背景について、同書では次の２点を

（注２）レジー著『ファスト教養』集英社（2022）p.53

指摘しています。（注3）

（1）作品が多すぎること

　　有料動画配信は多くの場合、決められた月額料金を払えば定められた作品をどれだけ観てもいい（俗にいうサブスク）という定額制見放題を基本形式としています。そのため、視聴時にしっかり鑑賞しないと払ったお金がもったいないという感覚は希薄になってしまいます。一方で、膨大な映像作品をチェックする時間に追われるようになっています。こうしてあらゆるメディアやサービスがユーザーの可処分時間を奪い合っており、その熾烈さは増すばかりです。しかも競合は映像メディアだけでなく、ソーシャルメディアも立派な競合相手です。話題にはついていきたい、同時に観るべき作品も定期的にチェックすべきソーシャルメディアも多すぎて、とにかく時間がない。そうした状況を倍速視聴という「時短」が解決しているのです。

（2）コスパ（コストパフォーマンス）を求める人が増えたこと

　　倍速視聴や10秒飛ばしで視聴する人が追求しているのは、「時間コスパ」です。これは若者たちの間で「タイパ」「タムパ」と呼ばれる「タイムパフォーマンス」のことです。彼らは趣味や娯楽について、てっとり早く、短時間で「何かモノにしたい」「何かのエキスパート」になりたいと思っています。こうした動機は、「効率化」「便利の追求」など極めて実利的なものです。

　　このように何事においても効率的に知識が得られる「わかりやすい」ものが喜ばれるようになっています。書籍においても同様で

す。インターネットを通じたベストセラーや話題の内容を要約するサービスが乱立しています。

　「芸術」についても例外ではありません。あるジャンルについて専門的な知識を持っていても、多くの人にとって馴染みのないジャンルであれば、知識習得に時間をかけることは「時間コスパ」が悪いとみなされてしまいます。例えば、オペラやバレエなどは専門的に語り合える人が周囲に少ないため、友人同士でのコミュニケーションには発展しません。愛好家の絶対数が少ない「ハイカルチャー」は、コミュニケーションの素材として機能しないと評価されてしまうのです。

　「芸術」において特定のジャンルに興味を持ってもらうきっかけとして何らかのガイドの存在は有効です。文化施設としても特定ジャンルへの関心のきっかけとして機能するコミュニケーションの素材提供は考えなければいけません。

　しかし、「時間コスパ」を重視する人たちは、読み解くのに長時間かかる解説や体系的に歴史を学ぼうというモチベーションが希薄です。1秒でも早く「答え」にたどり着けることが重要なのです。専門的な評論の意義や価値もコスパで測っているため、従来型の評論へのニーズは低下しています。

　一方で、「詳しくないけど、とにかく好き」という意思表明である「推し」という言い回しは広く浸透しています。また、発信者の顔が見えるYouTuberの番組もニーズが高まっています。「ファスト教養」を求める人にとっては、顔の見える信頼している人から勧められることや、すでに多くの評判を得ている作品であることなどが、芸術鑑賞へのきっかけになっているのです。

（注3）稲田豊史著『映画を早送りで観る人たち』光文社（2022）p.14-23

こうした芸術鑑賞のファスト化に対して　これから文化施設はどのように対処すべきでしょうか。芸術のすそ野を広げるためには、こうしたファスト化する市場を理解した上で、文化施設も「コアファンにだけ届く、良質な作品だけを誠実に作り続けていればいい」というスタンスではいけません。

　特に芸術市場のすそ野を広げようとするときは、「芸術」のコアファンより"ファンでないこれからの鑑賞者"に目を向ける必要があります。そのためには文化施設も「時間コスパ」志向の人たちも無視できない鑑賞者であることを前提にしたマーケティングを実践すべきです。

　「芸術」の教養としての側面のみを打ち出すのではなく、「芸術」の持つ楽しさや、ワクワク感などの娯楽性やリラックス効果を打ち出すことも1つの手です。意義や義務ではなく、いかにして自発的な関心を掻き立てるかが、これからのテーマです。「好奇心」と「探求心」がファスト化する芸術鑑賞への対応のキーワードです。気になるからこそ学ぶという自分にとって意味のあるテーマを見つけることを文化施設が支援すべきです。「好き」だからこそ、関心が生まれるのです。要は「好き」になってもらうきっかけをどう作るかです。

　多くの人に「好き」になってもらうために、わかる人にはわかる人なりに、わからない人にはわからない人なりに、あらゆるリテラシーレベルの鑑賞者が満足する環境づくりをめざさなくてはいけません。これからは一部のコアファンだけでなく「みんなに優しい鑑賞体験」が良い鑑賞体験になると思います。そのために「鑑賞」と「情報」を区別し、両者を組み合わせた情報発信と体験づくりが必要です。ダイジェストなどもその1つでしょうし、YouTuberなど

の力を借りることもあり得ることだと思います。

「みんなに優しい鑑賞体験」を実現するために、次のような施策アイデアを考えてみました。

・フレキシブルな公演

最新技術を活用した多言語対応は当然考えなくてはいけません。その他にも、生活も余暇時間の使い方も変わっています。公演の鑑賞経験に乏しい新たな鑑賞者のなかには上演時間3〜4時間は長過ぎると思う人もいるでしょう。これからはこうした人たちにも目を向けていかないと、将来に向けて市場を広げることはできません。

例えば、「生成AIによる多言語同時通訳機能の開発」「途中出入り自由な舞台上演」「低遅延の通信技術を活用した遠隔地を結んだ公演」などが考えられます。

・開演時間の見直し

舞台上演の場合は、出演者側にも多くの準備が必要なため、全て鑑賞者都合でスケジュールを決めることはできません。しかし、慣例化した開演時間のために、どうしても時間が合わず鑑賞したくてもできないという人も多く存在すると思います。事情が許すのであれば、あえて通常とは異なる時間帯に開演し、文化施設にとって新たな鑑賞者を開拓することは、文化施設だけでなく、ナイトタイムエコノミーなど地域全体の経済活性化の上からも一考の余地はあると思います。

例えば、「早朝開演のモーニングコンサート」「深夜開演のミッドナイトコンサート」などが考えられます。

- **編集された動画の配信提供**

倍速視聴が習慣化している人たちは、自分たちが「作品の鑑賞者である」という意識が乏しいと言われています。彼らが動画に求めるのは思い通りにカスタマイズできる快適さや、"見心地の良さ"の追求です。舞台実演芸術を動画配信する際、舞台そのままではない動画作品としての編集版も検討に値するのではないかと思います。

例えば、「1時間で観られるダイジェスト版」「同時解説の副音声付初心者版」などが考えられます。

- **イメージ総量の拡大**

「好き」の対象は、アーティスト個人がきっかけになることも多いと思います。その場合は、関心はアーティスト個人の行動や考え方になりますので、インタビュー記事なども読まれるでしょう。しかし話題や評判の対象が「作品」の場合は、関心は「作品」そのものになります。特に芸術鑑賞の場合では、その可能性は充分にあります。「映画」などの例を観てもヒット作が生まれれば舞台となった「聖地」へ多くの人が巡礼に訪れますし、原点となった刀剣などの美術品などを目当てに新たな鑑賞者が美術館に訪れます。関心とはイメージ総量に比例するものですから、作品の舞台や由来、主人公の出身地など関連する事項を洗い出して周辺の情報量を増やす仕掛けづくりが重要なのです。こうした仕掛けは多くの芸術ジャンルにおいても、もっと積極的に行われるべきだと思います。

例えば、「舞台となった聖地巡礼の予習動画の公開」「原作と合わせて紹介する書店（デジタル含む）プロモーション」「特定の原作を中心にさまざまなジャンルの舞台上演や映像、コン

サートを集中的に鑑賞できるフェス」などが考えられます。

　ファスト化する鑑賞態度の人々に「芸術」の本質を伝えていくことはかなり困難なテーマです。本来、「芸術」への理解は時間をかけて学び、自ら獲得するものです。文化施設としては専門情報をきちんと伝えなければいけませんが、そのためには膨大な時間と努力が要求されます。

　しかし、デジタル技術の進化は芸術鑑賞のスタイルにも新たな可能性を生み出しました。今や相手の知識レベルに関係なく、多くの人々に向けて効果的に、またコスト効率良く情報発信できることが可能になっています。文化施設も長年培ってきた意識や行動を変えなければいけないのではないでしょうか。

　いかなる鑑賞者にとっても、「芸術」への関心が深まり「好奇心」を抱くのは、長い時間をかけて受け継がれてきた歴史や美的センス、背景にあるライフスタイル、つまり「文化」が感じられるからです。しかし、「文化」は時代とともに変化するものです。伝統や古典に依存しているだけでは人々を魅了し続けることはできません。生活に「文化」を取り入れることを推進することは、これからも変わらない普遍的なテーマですが、そのためには文化施設ももっと開かれた柔軟な思考でその実現に取り組むべきだと思います。

第2節　文化施設と学校教育との融合

　文化施設は、「鑑賞の場」としてだけではなく、「芸術」の「育成の場」でもあります。アーティストとの触れ合いを通じた地域全体のアートリテラシーの向上や、次世代を担う子供たちのコミュニケーション能力、創造性の刺激など、「芸術」の力を活用して地域文化や伝統の継承・発展につながる教育的な仕組みをつくることも文化施設の重要な役割です。「芸術」に親しむことは、異文化理解のためには非常に有効です。文化事業を教育と結びつけることで、さまざまな社会問題に貢献できると思います。こうした文化事業と教育との関係を特に「学校教育」の側面から考えてみます。

　「芸術」はその国の歴史と文化の深層に結び付いています。わが国は、もともと人口の流動性の低い社会のなかで「わかり合う文化」を形成し、その中で独自の緊密な「文化」や「芸術」を培ってきました。

　しかし、今やわが国も多くの価値観が混在する多文化共生社会に変貌を遂げつつあります。そのため、これからは個人の価値観を1つの方向にまとめていく知識や技術よりも、異なった価値観を異なったままにすり合わせていく知恵や経験が重視されるようになります。そして、あらゆる局面でコミュニケーション能力が重視されるようになっていきます。

　その反面、子供たちのコミュニケーション能力や対人関係の未熟さに関する指摘をよく目にします。子供たちの国語力再生のためには、もっと「言葉を育む場」を用意すべきであるという指摘です。

　国語力再生のため教育現場を取材する作家の石井光太は、こうし

た背景には子供たちのなかでもソーシャルメディアによるコミュニケーションが一般化している影響が大きいとして、次のように述べています。（注４）

　　考えなければならないのは、リアルで行われる対面コミュニケーションとの違いだ。実際に顔と顔を突き合わせて話をする際は、「①感じる→②相手の気持ちを想像する→③言葉を整理する→④発言する」という流れで会話が行われる。つまり、実際の発言に至るまでにはいくつものフィルターに通される。ネットの言語空間ではそうではない。②〜④を省力し、①の感情をそのまま言葉にするのだ。フィルターにかけられないまま、感情が垂れ流しにされる。
　　厄介なのは、このようにしてSNSに掲載された言葉が、不特定多数の人間の目に留まることだ。

　子供たちには、たくさんの言葉を持ち、豊かな感受性によって他者の意見を聞き入れる力、自らの言葉で的確に気持ちを表現する力、そして、それにより自分だけでなく、みんなが生きやすい環境を作っていく力を養って欲しいものです。こうした感受性や表現力を育むことこそが、本来「芸術」が持つべき教育的価値だと思います。
　子供たちの感受性や表現力の育成という側面において、もっと文化施設ができることはないのでしょうか。あるとすれば何をすればよいのでしょうか。まず考えるべきことは「芸術鑑賞」のあり方を見直すことだと思います。

（注４）石井光太著『ルポ誰が国語力を殺すのか』文藝春秋（2022）p.130-131

文部科学省が告示した2020年の学習指導要領に「アクティブ・ラーニング」の導入が明記されました。「アクティブ・ラーニング」とは、学習者が能動的に学びに向かうよう設計された学習法の総称です。具体的にはグループワークやディベートなど「対話」を取り入れた授業運営が特徴です。「アクティブ・ラーニング」を導入した新しい学習指導要領では、「子供たちが自分で未来を切り拓いていけるように、生きていくための資質・能力を育んでいく」ことが重視されています。

　さらに2022年には、高等学校学習指導要領が改定され、「探究学習」が必修化されたことにより、学校の教育現場でも「アクティブ・ラーニング」への取り組みが重要視されています。「探究学習」とは、自ら立てた「問い」の課題を解決するために、情報収集などのプロセスを考えながら解決へと導いていく能力を育む学習法です。「探究学習」とは教員が答えを押し付けるのではなく、子供たち自身が課題を考え、自主的に調べたり、分析したり、話し合ったりすることで解決策を導き出す学習法ですから、「どのように学ぶか」というプロセスが大切で、国語力の発展や応用には役立つとされています。そして、「探究学習」を実践するためには「問い」の素材になるような「体験」が求められます。

　多くの文化施設において、学生に対する「芸術鑑賞教室」はすでに実施されています。それは新たな芸術に触れる機会の創出など一定の効果を上げてきたと思います。しかし、従来型の芸術鑑賞の仕組みでは個人的な鑑賞経験で終わってしまいます。そのため、教育現場で必要とされる「対話」につながる「体験」という点では不充分です。これからは芸術鑑賞と「探究学習」を融合させた「新しい芸術鑑賞」が求められると思います。

　東京都葛飾区文化会館をはじめ数々の文化施設において、文化事業および市民参加型の企画・制作に携わってきた杉山倫啓は次のように語っています。（注5）

　　　今になって改めて思うことは、アーツマネジャーの仕事に就いて、多くの演奏家たちとの仕事を通して知り合い、学校鑑賞会などの演奏会を企画し、子どもたちの反応を見ていると、感受性豊かな幼少期において、プロフェッショナルな教育を受け、生の演奏を体験する機会、つまり音楽に限らず芸術文化に触れる機会の充実がいかに重要であるか、つくづく感じている。

　芸術鑑賞がきっかけとなり、新たな関心や疑問が生まれ、友人間での対話が生まれる。こうした芸術鑑賞の教育的意義を高める「新たな芸術鑑賞」とは、次の2点を重視したプログラムを開発することです。
　①芸術鑑賞を通して、「探究学習」のテーマとなる「問い」の素材を見つける。
　②鑑賞後に「対話」を行うことで、自ら能動的に考え発信する能力を育てる。
　従来の芸術鑑賞の目的は、芸術を鑑賞すること。つまり、芸術鑑賞の実施自体がゴールでしたが、「新たな芸術鑑賞」では、芸術鑑賞をきっかけに、自身の変化に気づき、考えを発信すること、つまり、これからの時代を生き抜く糧になる芸術鑑賞の実施をゴールにします。
　こうしたプログラムは、アーティストだけでは開発できません

（注5）小林進編著『アートビジネス』雄山社（2012）p.73

し、学校側だけでも実施困難です。芸術と教育を融合させるコーディネーターが必要となります。その役割を担うのが地域の文化施設なのではないでしょうか。

　文化施設には、プロのアーティストによる舞台芸術を、企画・上演し、学校の「芸術鑑賞教室」を引き受けてきた「鑑賞」に関する実績があります。プログラムの作成は、文化施設がリードして、教育現場や専門家の意見を組み込んだ「鑑賞後の対話」を実践するスキルとノウハウを創り出すことがポイントです。もし創り出せれば学校の教育現場にフィットした「新しい芸術鑑賞」のプログラムが作れるはずです。

　「新しい芸術鑑賞」プログラムは以下のような流れとなります。
　①講義；鑑賞前レクチャー
　②実演鑑賞；施設での芸術鑑賞
　③グループ討論；鑑賞後の対話
　④拡散；鑑賞経験を友人や家族に伝える
　このような鑑賞＋対話を組み合わせた「新しい芸術鑑賞」プログラムは、学校側にとって「探究学習」の学習法として授業に組み込むことが可能になるため、すでに同様の取り組みを始めている事例も見受けられます。

　豊かな芸術体験は情熱を育む原動力になります。新しいことを知ることは「楽しい」という内在的動機があると、一層夢中になれると思います。こうした動機付けにもつながる「新しい芸術鑑賞」への取り組みを通じて、文化施設はいままで以上に「芸術教育」の一翼を担う重要拠点の役割を果たすことになります。

　文化施設にとっても、芸術鑑賞が単なる１つのイベントではなく、鑑賞した学生にとって鑑賞の価値を実感できる時間になること

で、未来の鑑賞者を生み出すことにつながりますので、もっと積極的に取り組む価値はあると思います。

文化施設と地域社会との関わり

　芸術鑑賞と地域社会の関わりを考えると、特に商業的事業として開催されるような大規模な舞台実演芸術の鑑賞は大都市部に偏重しており、地域に密着した舞台実演芸術への参加はアマチュアに支えられていることが多くなっています。つまり、「鑑賞の場」は都市部に集中し、都市部における文化施設は「鑑賞の場」、地域密着の文化施設は「アマチュアによる創造（発表）の場」という図式が長い間固定化したまま変わらず続いてきました。

　近年、例えば配信などのデジタル技術の進化により、こうした構図も徐々に流動化してきています。しかし、流動化の議論の多くは、都市部で行われている公演を配信などの技術で広範な地域に広げていく「鑑賞の場の拡散」で留まっています。確かに、都市部で行われている芸術に触れる機会を多くの地域で創出することは、一面では地方の文化活動の活性化につながるかもしれません。しかし、地域に密着した文化的環境を総合的に高めていくという点では、こうした一方通行の施策だけでは充分ではないと思います。

　わが国は、伝統的に稽古事などの「コミュニティアーツ」が盛んで、多くの地域でさまざまな発表会が日常的に行われています。こうした文化的背景を考えると、これからの文化施設は「鑑賞の場」として「文化の消費」を促すだけでなく、さまざまな形で「文化への参加」を促す「交流の場」という側面をもっと考えていく必要があります。

　文化施設が「交流の場」として地域の側から芸術文化の持つ力を活用し、芸術文化による地域活性化につなげる「地域づくり」は、

「創造都市」の概念に結びつくものです。

　「創造都市」について、古賀弥生は、「芸術文化や創造性を基盤とした都市政策を展開し、芸術文化が持つパワーを生かして社会の潜在力を引き出す都市である。創造都市では、都市問題の創造的な解決が図られ、クリエイティブな人材が経済社会を牽引する。」と述べています。そして、その実践例として、フランス・ナント市の「ラ・フォル・ジュルネ」や石川県・金沢市の「金沢21世紀美術館」などを紹介しています。(注6)

　これらの事例に共通するのは、文化施設を「鑑賞の場」に終わらせることなく、地域住民と一体となって周辺地域との垣根を取り払い街ぐるみの芸術体験の場に進化させていることです。地域と文化施設の関係から考えると、こうした開かれた文化づくりにより、文化施設だけでなく、施設を中心とした周辺地域が広場のように機能していることをめざすことが地域振興につながるということを先行する「創造都市」が教えてくれます。

　文化施設を中心に周辺地域も含めた賑わいを生み出すためには、周辺地域から希望者を募って公演や展覧会の鑑賞会を実施する、ワークショップなど体験型の活動を行うだけでは足りません。近隣とのコラボレーションにより周遊性を高めるツーリズムプロモーションを行うなど来館者だけを対象とせずに、自ら外部に積極的に出かけていき、できるだけ幅広い人たちに芸術に触れ合う機会を創るアウトリーチ活動に真剣に取り組むことが必要です。

　アウトリーチ活動は、地域の文化的基盤づくりとなるだけでなく、地域社会とのネットワークを創ることにもつながります。その結果、次世代を担う若手アーティストへの支援にもなり、「芸術」

(注6)古賀弥生著『芸術文化と地域づくり』九州大学出版会（2020）p.47-52

と社会の結びつきも強めます。

　アウトリーチ活動は、とても労力のかかることなので、文化施設が単独で継続的に行えるものではありません。地域振興への貢献を考える際は、文化施設側がやりたいと思うことだけではなく、地域が求めていることも考慮し、業務かボランティアかという境界を取り払った柔らかい発想が必要だと思います。

　キーワードは「連携」です。各施設が自らの境界に縛られずに思い切ったマーケティング手法で協力する姿勢を示し、行政やアーツカウンシル、大学などさまざまな団体と連携して地域全体のテーマとして取り組む必要があります。

　共同のマーケティング活動によって自らの顧客を失うかもしれないと懸念するのではなく、協力して情報発信力を高め、新たな顧客を獲得することをめざすべきです。

　地域の文化情報を発信する際は、最先端のエンタテインメントやアートの発信だけではなく、長く人々を魅了してきたその地域固有の文化・芸術の価値に目を向けることが重要です。地域に点在する文化施設や美術館・博物館が連携して集客促進策を展開することにより、その地域の周遊性も高まり、経済効果も生まれ、地域全体の活性化にも貢献できるはずです。

　例えば、各施設を巡ることで、落ち着いた空間と上質な「芸術」に囲まれた静かで癒しのひと時を提供する大人向けツーリズム、学校では教わらない教養や知識に触れることができる体験型課題学習など、各施設が単独で行っている情報発信とは切り口を変えて、具体的に周遊方法や鑑賞方法を提案すれば、ありきたりな観光ルートに飽きてしまったインバウンド客の集客にも有効だと思います。

　従来は、文化施設の立場からみると、フィランソロピー（社会貢

献）と言うと享受する側で関わってきたことが多いのではないでしょうか。しかし、フィランソロピーの本質は、単なる寄付の授受ではなく、「つながる」ことです。わが国においても、寺社における勧進などフィランソロピーの精神は昔から存在していました。これからは文化施設も自らがフィランソロピーの担い手であるという意識を持つべきです。そして、地域の文化施設が連携し、「芸術」の力を結集することで、それぞれの地域のアイデンティティ確立に積極的に貢献すべきです。地域固有の文化や伝統を国内市場だけではなく、世界に向けて、情報発信することを考えるべきです。それが地域の「創造都市」への発展をもたらし、「文化大国」への道につながるのです。

<巻末資料>
Bunkamuraの概要

Bunkamuraは1989年９月３日の日曜日に東京・渋谷の一角に開業しました。

　1980年代後半から1990年代は、今に続く多くの施設が設立されたコンサートホール、劇場のオープンラッシュの時代でしたが、そのなかでもBunkamuraは、さまざまなジャンルを網羅した複合的な文化施設として現在に至るまで異彩を放っています。

Bunkamura
〒150-8507　東京都渋谷区道玄坂2-24-1

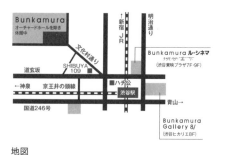

地図

外観

（注記）
営業を終了した東急百貨店本店土地の再開発計画に伴い、Bunkamuraはオーチャードホールを除き2023年４月10日から2027年度中（時期未定）まで休館中です。

Bunkamuraの施設紹介（2024年2月現在）

Bunkamuraの主な施設の概要は次の通りです。

①オーチャードホール

総客席数2,150席。日本初の大規模シューボックス型ホール。クラシックコンサートを主目的に、オペラ、バレエ、ポピュラーコンサートなどさまざまなジャンルを１つの空間で提供できるコンバーチブルホールです。

コンサートホールを主目的としながら、ステージに可能式音響シェルターを設置することにより劇場型の空間に可変するという画期的な逆転の発想で専用コンサートホールにも匹敵する音響を実現し、クラシックのコンサートでも、オペラやバレエの公演で使用しても高い評価を得ています。

華やかな雰囲気の漂うホワイエ、落ち着いた客席空間、開演前や幕間のひとときに飲み物を楽しめるビュッフェが、ゆったりとした

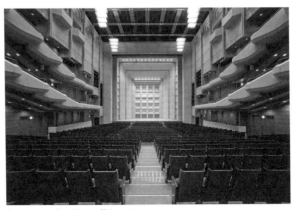

Bunkamuraオーチャードホール

時間と感動の余韻を演出しています。

　なお、オーチャードホールは、日曜日・祝祭日を中心とする限定営業となっています。

②シアターコクーン

　総客席数747席。舞台から1F最後列の客席までが24mという近さの中規模劇場としては非常にコンパクトな空間であるため、演者も観客も"熱く"なる舞台と客席の一体感、臨場感を演出します。

　優れた舞台機構をもち、さらに舞台面と客席の一部が可動式になっているため、演劇、コンサート、コンテンポラリーダンスなどをはじめとするさまざまな舞台表現において自由な発想を生かした舞台づくりが可能なスタイリッシュでいながら、とても暖かい雰囲気をもった個性豊かな劇場です。

　Bunkamura休館期間中は営業を休止しておりますが、THEATER MILANO-Zaをはじめ他の施設で自主制作公演は継続しています。

③ザ・ミュージアム

　近代美術の流れに焦点をあてた展覧会を中心に、それまで日本で紹介されることが少なかった作家の個展や海外の著名な美術館の名品展など、テーマ性・先見性・話題性を持った展覧会を開催してきました。

　Bunkamura休館期間中は渋谷ヒカリエ内「ヒカリエホール」などで展覧会を開催しています。

④ル・シネマ

　独自の作品選定によりヨーロッパやアジア映画を中心に芸術性の
高い作品や作家性にこだわった作品を単館ロードショー方式で上映
し、これまでに数々のヒット作品、ロングラン作品を生み出してき
ました。

　Bunkamura休館期間中は渋谷東映プラザにて「Bunkamuraル・
シネマ 渋谷宮下」として営業しています。各階シアターは7Fが
268席、9Fが187席のゆとりあるキャパシティを有し、7Fスクリー
ンは35mmフィルム、4K上映にも対応可能です。

Bunkamuraル・シネマ 渋谷宮下

⑤ギャラリー

　その他にギャラリーも運営しています。日々の暮らしの中でアー
トを身近に感じ、触れていただくことを目的に、国内外で注目を集
める作家が創造する幅広い分野のアート作品を企画展として休館前
には年間約60本紹介してきました。

　Bunkamura休館期間中は渋谷ヒカリエ内「クリエイティブスペ

ース 8/」に場を移し、「Bunkamura Gallery 8/（はち）」として営業を継続しています。

　オープンな空間で新たな出会い・接点をつくること、価値を共有でき、持続性のあるコミュニケーションの場であることをめざしています。

Bunkamura Gallery 8/

参考文献

・池上惇著『生活の芸術化　ラスキン、モリスと現代』丸善（1993）
・エマニュエル・ローゼン著『クチコミはこうしてつくられる』日本経済新聞社（2002）
・山口周著『世界のエリートはなぜ「美意識」を鍛えるのか？　経営における「アート」と「サイエンス」』光文社（2017）
・渡辺通弘著『芸術創造産業が生むネオ・ルネッサンス　アートマネジメントの役割』PHPエディターズ・グループ（2022）
・福原義春著『文化は熱狂』潮出版社（1995）
・古賀弥生著『芸術文化と地域づくり　アートで人とまちをしあわせに』九州大学出版会（2020）
・ジョアン・シェフ・バーンスタイン著『芸術の売り方　劇場を満員にするマーケティング』英治出版（2007）
・佐々木晃彦著『豊かさの社会学　変革の時代の生きがいを求めて』丸善（1994）
・佐藤健二／吉見俊哉編『文化の社会学』有斐閣アルマ（2007）
・垣内恵美子／林伸光著『チケットを売り切る劇場　兵庫県立芸術文化センターの軌跡』水曜社（2012）
・岩渕潤子著『「旦那」と遊びと日本文化　達人に学ぶ粋な生き方』PHP研究所（1996）
・森啓著『文化ホールがまちをつくる』学陽書房（1991）
・清水裕之著『わたしたちと劇場』日本芸能実演団体協議会（1993）
・藤野一夫編『公共文化施設の公共性　運営・連携・哲学』水曜社（2011）
・米屋尚子著『演劇は仕事になるのか？　演劇の経済学的側面とその未来』アルファベータブックス（2016）
・デイヴィッド・スロスビー著『文化経済学入門　創造性の探究から都市再生まで』日本経済新聞社（2002）
・電通総研編『企業の社会貢献』日本経済新聞社（1991）
・小林進編著『アートビジネス　文化政策の現場から』雄山社（2012）
・稲田豊史著『映画を早送りで観る人たち　ファスト映画・ネタバレ―コンテンツ消費の現在形』光文社（2022）
・浦久俊彦／山田和樹著『「超」音楽対談　オーケストラに未来はあるか』アルテスパブリッシング（2021）
・宮入恭平／杉山昂平編『「趣味に生きる」の文化論　シリアスレジャーから考える』ナカニシヤ出版（2021）
・渡辺裕著『聴衆の誕生』春秋社（1989）
・平田オリザ著『芸術立国論』集英社（2001）
・松原隆一郎著『豊かさの文化経済学』丸善（1993）
・武田砂鉄著『わかりやすさの罪』朝日新聞出版（2020）
・池上惇著『情報社会の文化経済学』丸善（1996）
・竹下隆一郎著『SDGｓがひらくビジネス新時代』筑摩書房（2021）
・東浦亮典著『東急百年　私鉄ビジネスモデルのゲームチェンジ』ワニブックス（2022）
・林望著『「芸術力」の磨き方　鑑賞、そして自己表現へ』ＰＨＰ研究所（2003）
・関口英里著『現代日本の消費空間　文化の仕掛けを読み解く』世界思想社（2004）
・伊藤穰一著『テクノロジーが予測する未来　web3、メタバース、NFTで世界はこうなる』SBクリエイティブ（2022）
・Inax booklet『劇場をめぐる旅』LIXIL出版（1994）
・林望著『知性の磨きかた』PHP研究所（1996）
・山田真一著『アーツ・マーケティング入門　芸術市場に戦略をデザインする』水曜社（2008）
・宮田純也編著『SCHOOL SHIFT　あなたが未来の「教育」を体現する』明治図書出版（2023）
・レジー著『ファスト教養　10分で答えが欲しい人たち』集英社（2022）
・加藤希尊著『The Customer Journey「選ばれるブランド」になるマーケティングの新技法を大解説』宣伝会議（2016）
・林容子著『進化するアートマネジメント』レイライン（2004）
・公益社団法人日本フィランソロピー協会『共感革命　フィランソロピーは進化する』中央公論事業出版（2021）
・石井光太著『ルポ　誰が国語力を殺すのか』文藝春秋（2022）

おわりに

　本書を手に取り、最後までお読みいただきありがとうございました。

　1本のホームラン、1本のシュート。1本の映画、1枚の絵画、あの日観た演劇。誰にも振り返ると一生の思い出となっている感動の瞬間があります。その感動は人生を左右するほどのかけがえのない大きな経験です。

　感動したことのない人は、人に感動を伝えることはできません。

　文化・芸術に携わる人はみな、こうした忘れることのできない感動経験を持っています。それが誇りとなっています。そして、その感動をひとりでも多くの人に伝えたいと思っています。

　ファンのすそ野を拡げたい。

　これは、スポーツでも、芸術でも多くの分野で共通する課題でしょう。ファンの基盤を砂で作った山に例えると、すそ野を拡げるためには山自体を高くする必要があります。高い山は自然とすそ野も拡がります。しかし、無理やりすそ野だけを拡げると山が崩れてしまう恐れがあります。スポーツの分野では顕著ですが、一過性のブームによる急速なファン拡大だけでは、そのスポーツの振興には結びつきません。競技人口を増やす地道な努力とトップクラスの選手の活躍が相まってこそ、真の振興が生まれます。文化・芸術も同じです。限られた人に茶道の奥義を説くだけでは、すそ野は拡がりま

せん。また、抹茶アイスが流行るだけでは茶道の奥深さを伝えることはできません。山を高くすること、すそ野を拡げること、両者の相乗効果が必要です。

　本書は「文化」や「芸術」そのものを語るものではありません。山を高くするだけではなく、すそ野を拡げる活動も大切である。それが「市場」を創り出すことになる。そんな思いで本書を執筆しました。最高の高みをめざすアーティストの方々、専門に研究されている方々から見れば多くの異論やご意見もあることと思いますが、ひとえに著者の理解不足や誤解によるものですのでご容赦ください。

　文化・芸術をもっと日常に。

　文化・芸術は崇高であり、消費社会とは異なる文脈で考えるべきという見方もあるでしょう。しかし、もっと自由な発想で食と文化・芸術、ファッションと文化・芸術、住まいと文化・芸術。もっと多くの分野において企業や商品とのコラボレーションを推進することが、文化・芸術のすそ野を拡げるという側面もあると思います。そうした活動を積極的に推進することが文化・芸術の日常化の後押しとなります。

　また、文化・芸術と新たな学びのスタイルを模索する教育現場の橋渡しをすることで、次世代の人材の感受性や表現力を高めることや、文化・芸術と街おこしや地域振興を結びつけることで文化事業の可能性を拡げることなど、発想と行動次第でマーケティングによる市場創造の余地は多く存在します。

　新型コロナウイルス感染症の拡大を機に「文化・芸術マーケティ

ングラボ」というグループを作り、マーケティングの観点からこうしたテーマについて議論を交わしてきました。そして今、議論をもとにいくつかのアイデアは実践に向け始動し始めています。また、新たなアイデアの模索も続けています。こうした実務を通じて培ってきた個人的な経験をまとめて可視化することで同様の思いを持つ方々のお役に立てることもあるかもしれないという一心で、書籍としてまとめることにしました。読者の方々が本書に何らかの価値を感じて、実務に活用していただければこの上ない喜びです。

　最後に、本書の出版の機会をいただき、ご助言を頂いた東急エージェンシーの高橋庸江さん、高山慶子さんに心より感謝いたします。
　また、本書の取りまとめにあたっては、多くの関係者、スタッフの方々からご協力を頂きました。個々のお名前を記載することは紙面の制約でできませんが、ここに厚く御礼申し上げます。

　厳しい環境が続きますが、多くの文化施設で働く方々がより一層ご活躍されることを願うとともに、私自身もわが国の文化施設のさらなる発展に少しでも貢献できるよう努力を続けてまいります。

2024年2月

荒木久一郎

荒木 久一郎（あらき　きゅういちろう）

1962年生まれ　東京都出身。

1985年　明治大学経営学部卒業。

大学卒業後、広告会社にて主にマーケティング・プランニング業務を中心に消費財などのブランディングや商品開発、地域振興など数多くのクライアント業務に携わる。

2016年より株式会社東急文化村にてチケット販売、広報業務を担当しており、

現在、執行役員マーケティング部部長。

日本アートマネジメント学会　会員。

文化・芸術のマーケティング
Bunkamuraも実践する"満足"を生み出すチャレンジ

2024年2月9日　第1版第1刷

著　　　者	荒木 久一郎	
発　行　人	高坂 俊之	
発　行　所	株式会社東急エージェンシー	
	〒105-0003　東京都港区西新橋1-1-1 日比谷フォートタワー	
	TEL　03-6811-2402　https//www.tokyu-agc.co.jp/	

カバーデザイン	株式会社アンカー
印 刷・製 本	精文堂印刷株式会社